D1177868

ANGELIS SVIS DEVS MANDAVIT CVSTODIANT TE IN OMNIBVS VIIS TVIS
K V

Puebla

de miniatura artesanal a grandes volcanes

Monografía estatal

Edición experimental
Dirección de Contenidos y Métodos Educativos
de la Dirección General de Evaluación Educativa

Coordinación editorial
Margarita Basáñez
Ricardo Valdés

Investigación
Guillermo Díaz, Carlos Fragoso, Patricio Frausto, José García,
Patricia Medina, Olivia Norman, Felipe Ornelas, Gina Rod

Investigación auxiliar
Jaime Canales, Teresa López,
Valeriano Ramírez

Corrección
Jorge Cervantes, Marisa Madrigal,
Marina Valdés

Diseño gráfico
Ricardo Valdés

Ilustración
Fernando de Anda, Alejandro Cortés, César García, Rubén Guerrero,
Fernando Martínez, Fernando Méndez, Alfonso Patiño, Raymundo Ramírez,
Álvaro Rivera, Gilberto Zeferín

Fotografía
Guillermo Juárez
Néstor Hernández

Formación
Jorge Cervantes
Julio Klempay

Primera edición revisada y actualizada

Coordinación
Subsecretaría de Educación Básica y Normal
de la Secretaría de Educación Pública

Diseño de portada
Comisión Nacional de los Libros de Texto Gratuitos

Fotografía de portada
Fernando Osorio

Edición experimental, 1988
Primera edición, 1995
Primera reimpresión, 1996
Segunda reimpresión, 1997

ISBN 968-29-6117-3

Impreso en México

Presentación

Siempre nos gustará conocer la historia de nuestra tierra y entender a fondo el lugar donde nacimos y nos desarrollamos. Volvamos los ojos al pasado y comprendamos los orígenes de esta hermosa tierra de la que somos hiios.

Con la idea de satisfacer estos anhelos y con el propósito de ayudarte a que ames más a Puebla, tu estado natal, hemos preparado este libro que habla de tus antepasados, tus tierras, tus paisajes, tu gente toda. En él encontrarás algo de cada uno de los rincones de tu entidad. Al leer sus páginas sabrás, quiénes fueron los primeros habitantes del territorio que hoy pertenece a Puebla y cómo cada generación, poco a poco, ha cooperado para su transformación.

Aprenderás a conocer los recursos que tu tierra te proporciona y podrás cooperar con todos los poblanos para hacer de ella un lugar de progreso, tradición y alegría. Serás, así, partícipe de su historia.

En cada día de lectura, llegarás a querer más a tu estado y te sentirás, además, orgulloso de ser mexicano.

Tus padres, tus maestros y tú sabrán aprovechar el valioso contenido de este libro, que ha sido escrito pensando, principalmente en ti, joven poblano.

Nota a la primera edición

La edición experimental de esta monografía fue publicada en 1988. Como comprenderás, desde entonces han ocurrido cambios en la población, la economía, la política, la educación, la cultura, los recursos naturales y los ecosistemas de México. Por eso, en 1994 la Secretaría de Educación Pública decidió hacer esta primera edición, para lo cual se actualizaron los datos de la monografía con información del XI Censo de Población y Vivienda de 1990 y de otros materiales estadísticos elaborados por el gobierno federal y por el gobierno estatal.

1. EL TODO Y SUS PARTES

2. NUESTRO ORIGEN HISTORICO

3. EL DOMINIO ESPAÑOL

4. EN BUSCA DE LA SOBERANÍA

5. LA DICTADURA Y SU FIN

6. EL TIEMPO ACTUAL

7. NUESTRA IDENTIDAD

1

El todo y sus partes

Conozcamos Puebla

Región Huauchinango

Región Teziutlán

Región Ciudad Serdán

Región San Pedro Cholula

Región Puebla

Región Izúcar de Matamoros

Región Tehuacán

Conozcamos Puebla

Al viajar por nuestra entidad, encontramos paisajes diversos y con grandes riquezas naturales. Cuenta con un sin fin de bellezas naturales: parques nacionales como el Izta-Popo; balnearios de aguas termales, por ejemplo, los de Villa Juárez y Tlapahuala en Huauchinango, los de Agua Azul y de San Carlos en la Ciudad de Puebla; caídas de agua: cascadas de Salto Chico y Salto Grande. Además existen tradiciones en las fiestas, comida, artesanías, que nos ayudan a no olvidar nuestro pasado prehispánico.

A los que nacimos en esta entidad nos llaman poblanos, y nos ocupamos en diversas actividades; agrícola, ganadera; industria y comercio entre otros.

Para conocer mejor Puebla, necesitamos saber donde se encuentra. Se localiza entre los paralelos 17°52 y 20°51' de latitud norte, es decir, al norte del Ecuador y entre los meridianos 96°44 y 99°04' de longitud oeste, o sea al oeste del meridiano de Greenwich. En la parte centro-este de la República Mexicana. Colinda al norte y este con Veracruz, al sur con

Coordenadas extremas de nuestro estado

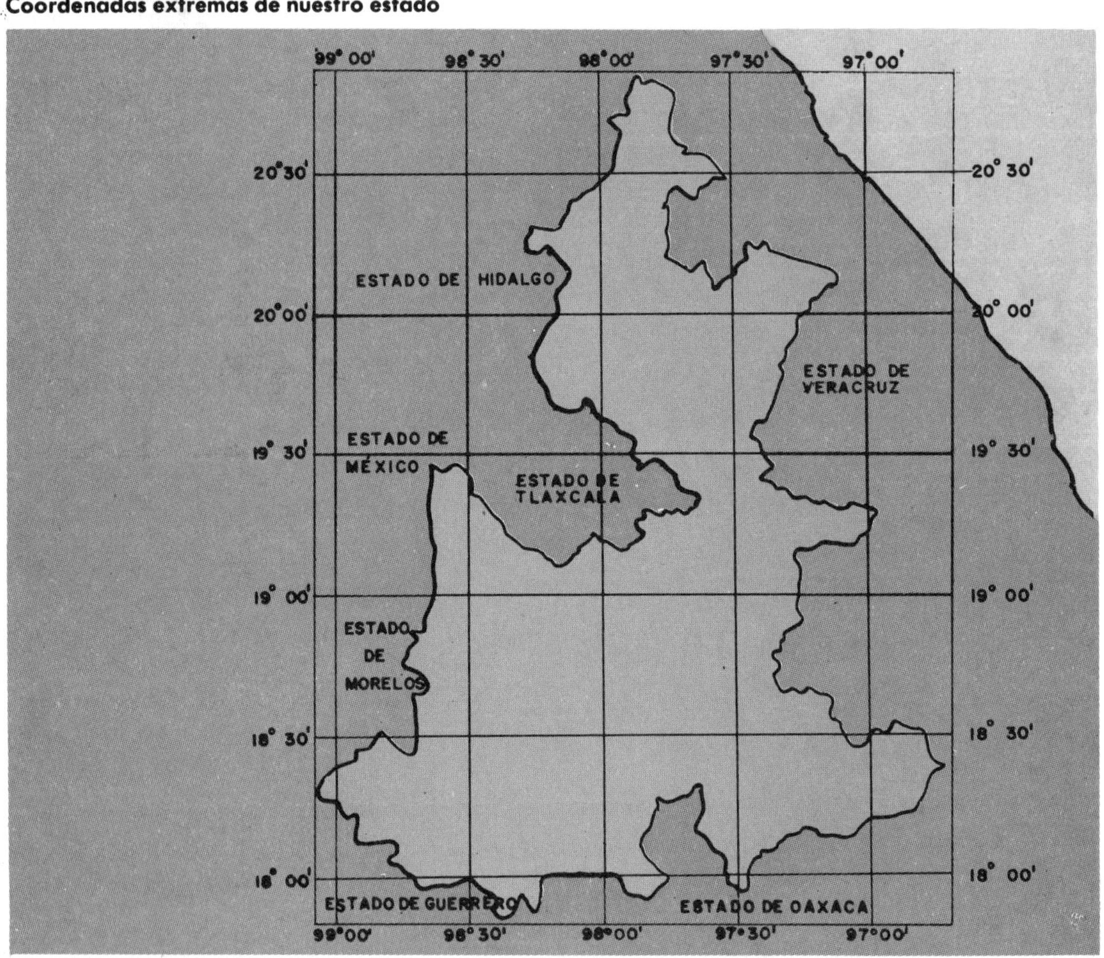

Oaxaca, al noreste con Guerrero y al oeste con Hidalgo, Tlaxcala, México y Morelos.

Al comparar el tamaño de nuestra entidad con el de las 31 restantes, observamos que es una de las más pequeñas; tiene una superficie de 34 072 kilómetros cuadrados (km^2), que representa sólo el 1.7% de la superficie total del país y ocupa el 21° lugar por su extensión. Es más grande que Guanajuato, Nayarit, Tabasco, México, Hidalgo, Aguascalientes, Colima, Morelos, Tlaxcala y el Distrito Federal.

Puebla tiene una forma muy irregular, parecida a un triángulo isósceles; con una base de 248 km y afilada en la punta. Si la recorremos de norte a sur, tiene 328 km de longitud y en la parte más angosta sólo 32 km.

El terreno también es irregular, encontramos partes elevadas o montañosas y lugares planos, al norte y este tenemos la Sierra Madre Oriental, al sur la Sierra de la Mixteca y al oeste la Sierra Nevada. Las más grandes elevaciones del país colindan con Puebla: al oriente localizamos el Pico de Orizaba (5 747 m) en los límites con Veracruz; al oeste, en los límites con México y Morelos se encuentran el Popocatépetl (5 400 m) y el Iztaccíhuatl (5 386 m); finalmente en

Relieve e hidrografía de Puebla

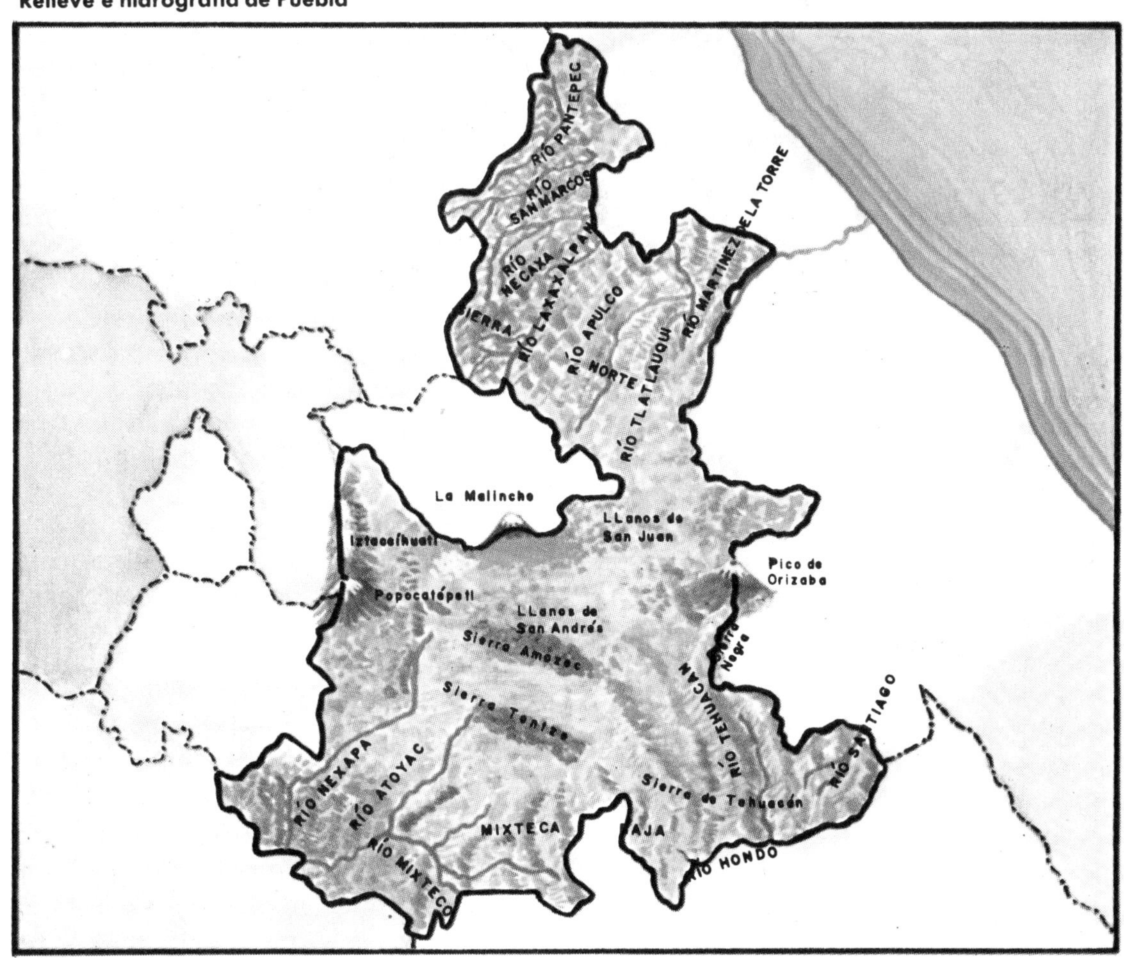

Panorámica de la Sierra Norte

Valle de Atlixco

los límites con Tlaxcala se encuentra la Malinche (4 461 m).

Disfrutamos de una diversidad de climas; desde el muy caliente hasta el muy frío. Esto es por los marcados desniveles del terreno. Las zonas montañosas reciben varios nombres dentro del estado: Sierra Norte, Sierra Quimixtlán, Sierra Zongolica, Sierra Negra y otros. Existen valles importantes: el de Puebla, Tehuacán, San Martín y Atlixco. También tenemos llanos como los de San Andrés Chalchicomula y los de San Juan.

Los ríos son importantes para las diferentes actividades agrícolas, ganaderas, industriales y comerciales. Algunos reciben afluentes y toman sus nombres de acuerdo al lugar por donde pasan, por ejemplo, los ríos Pantepec, San Marcos, Necaxa, Tehuacán o Salado y Atoyac. Tenemos lagunas como Epatlán, San Felipe Xochiltepec, Aljojuca, Totalcingo Quechulac, etc. Además, contamos con los Axalapascos que son cráteres ocupados por una laguna como la de Alchichica y los Xalapascos que son cráteres sin agua.

Hay también manantiales minerales importantes: Garci Crespo, El Riego, San Lorenzo, Santa Cruz, Tlaltenango. Presas para la generación de energía hidroeléctrica y que hacen posible el sistema de riego para la agricultura;

La Manuel Ávila Camacho, La Laguna, Necaxa, Tenango y Mazatepec.

Por lo variado del terreno y el clima, existen una vegetación y una fauna muy distinta.

La vegetación cubre un 61% del territorio poblano y el 39% restante, está dedicado a las actividades agrícolas. Los principales tipos de vegetación son: selva, bosque, matorral, chaparral, mezquital y pastizales cultivados.

La selva cubre un 27% del total de la superficie de la entidad, se localiza en la Sierra, principalmente en los límites con Guerrero y Morelos; y en las laderas de la Sierra Madre Oriental.

Los bosques representan el 15% del territorio estatal; están ubicados principalmente en las laderas occidentales de la Sierra Madre Oriental y en el sistema Volcánico Transversal. Por orden de abundancia son: de pino-encino, pino, encino, oyamel y pinares.

El matorral, chaparral y mezquital, se localizan entre Atenayuca y Tehuacán, a nivel local han sido explotados como leña, carbón y postes para corral.

Dentro de la fauna tenemos: chango, puma, coyote, leopardo, tigrillo; éstos se localizan fundamentalmente en las zonas elevadas y boscosas; topos, armadillos, lagartijas, zopilotes,

Río San Marcos

Paisaje de pastizal y bosque

Arbol de papaya

Pastoreo de ganado ovino

aves, tortugas y animales domésticos gatos, perros, aves de corral, etc.

Nuestra entidad cuenta con 217 municipios y 4 930 localidades. Estos municipios y localidades se encuentran agrupados en siete regiones. La regionalización se hizo tomando en cuenta la estructura geográfica, económica, política y social. A cada región le fue asignado un municipio como cabecera de la misma.

1. Región Huauchinango. En el norte del estado, tiene 31 municipios. Abarca una superficie de 5 696.83 km^2. Cuenta, principalmente, con ganado bovino, porcino, ovino y avícola; con recursos maderables, frutícolas (cítricos), florícolas y cafetaleros.

II. Región Teziutlán. Situada en la parte noroeste del estado; tiene 32 municipios . Comprende una superficie de 2 716.05 km^2. Cuenta con recursos agrícolas, ganaderos, mineros e industriales.

III. Región Ciudad Serdán. Se encuentra en la parte central del estado, 36 municipios . Ciudad Serdán es la cabecera regional abarca 5 881.02 km^2. Cuenta con una gran variedad de minerales metálicos y no metálicos. Las zonas planas permiten la agricultura. En esta región las artesanías son importantes para la economía.

IV. Región San Pedro Cholula. En

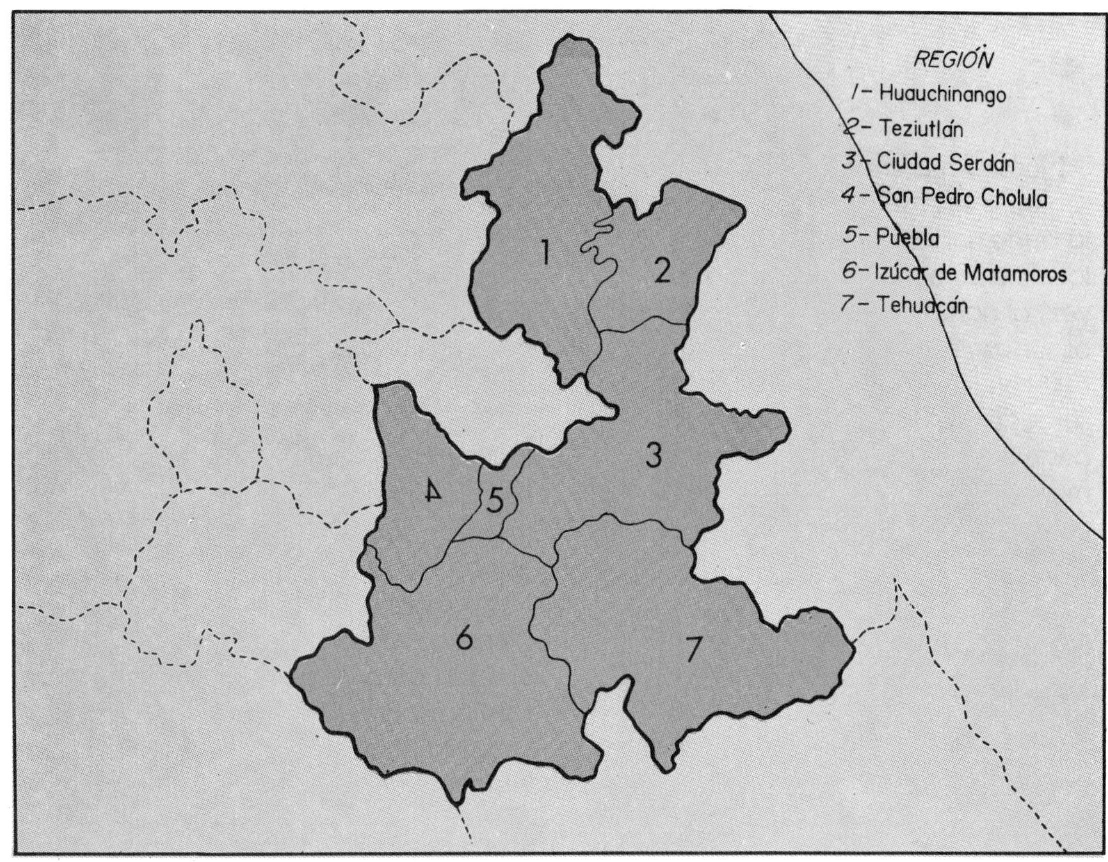

División Regional de Puebla

la parte oeste del estado tiene 28 municipios. Comprende una superficie de 2 634.00 km². Región importante en productos agrícolas, hortícolas y, florícolas y en industria.

V. Región Puebla. Situada en la parte central de la entidad, formada por un solo municipio. Tiene gran importancia económica y política, ya que se trata del municipio de Puebla en el que se encuentra la capital del estado. Ocupa una superficie de 524.31 km². La actividad practicada, básicamente, es la industria; está respaldada por una alta infraestructura y buenos servicios a la población.

VI. Región Izúcar de Matamoros. Se encuentra al sureste del estado; tiene 51 municipios. Abarca una superficie de 9 021.80 km². La agricultura es la actividad básica de esta región; también hay actividades mineras, industriales y artesanales.

VII. Región Tehuacán. Al sureste del estado; tiene 38 municipios. Ocupa una superficie de 7 444.92 km². La agricultura, la ganadería y la minería son las actividades que más se practican. Cuenta con gran variedad de minerales.

Existen balnearios de aguas termales que atraen a los visitantes.

En las siguientes páginas conoceremos con más detalle cada una de estas regiones.

Región Huauchinango

Nuestro recorrido por las distintas regiones del estado, lo iniciaremos por la parte norte. Huauchinango se localiza en el noreste. Limita a su vez, al norte y noreste con Veracruz; al sur con el estado de Tlaxcala; al este con la Región de Teziutlán; al suroeste con Ciudad Serdán y al oeste con el estado de Hidalgo. El municipio de Huauchinango es la cabecera regional.

El terreno no es uniforme; presenta zonas planas y montañosas. Las montañas pertenecen a la cadena llamada Sierra Norte de Puebla, que a su vez, forma parte de la Sierra Madre Oriental. Estas elevaciones reciben varios nombres en la región: Sierra de Huauchinango, Sierra de Tlaxco y Sierra de Tlacuilotepec. Por la irregularidad del terreno, se presentan dos tipos de climas: templado en las zonas planas y frío en las montañosas.

Hay ríos importantes; su agua se emplea muy poco para la actividad agrícola y es aprovechada, principalmente, para la generación de energía eléctrica. Los ríos Vinazco, Pantepec, San Marcos y Laxaxalpan son importantes para la región. Sin embargo, el Río Necaxa, además, se extiende desde nuestro estado hacia otros más. Cuenta con tres presas: Nexapa, Tenango y Necaxa, en las cuales se almacena el agua para generar energía, no sólo para Puebla sino también a Tlaxcala, Hidalgo, México, el Distrito Federal y a numerosas

Presa Necaxa

Aserradero

ciudades y pueblos que se encuentran en el centro del país.

Por la irregularidad del terreno, por los climas y por la presencia de los ríos en las zonas montañosas de la región, tenemos bosques de pinos en las partes más altas y de encinos en la de menor altura. Aquí todavía podemos encontrar animales como: venado pequeño o temazote, tigrillo, tejón, tuza, mapache, reptiles y arácnidos entre otros.

Recorriendo la región, encontramos algunos grupos indígenas que hablan su lengua autóctona y el español. En algunas zonas de la sierra habitan nahuas; hacia el norte, límite con Veracruz, totonacas; otomíes y tepehuanes solamente en algunos municipios: Pahuatlán, Chila, Tlaxco y Pantepec.

Los pobladores de la región se dedican, principalmente, a la agricultura; en las zonas altas es cultivado el aguacate, el frijol, la manzana, el durazno, el café, etc. En las zonas bajas, hay frutales: cítricos, papaya, plátano, caña de azúcar, etc. Trabajan también la floricultura, con la cual se tienen ingresos importantes para la economía familiar.

Aunque la actividad ganadera se practica muy poco, hay ganado ovino, bovino y porcino; ademas aves de corral. Las zonas montañosas favorecen la actividad minera; se extraen algunos minerales: plata, oro, carbón, plomo, zinc, manganeso, etcétera.

La actividad industrial es más próspera cada día; existen aserraderos, envasadoras de aguas gaseosas, empacadoras de frutas en conserva, industrias: zapatera, de extracción de minerales y de artesanías.

El comercio es otra actividad importante, no sólo dentro de la región y con la capital del estado, sino también con los estados de Hidalgo, Veracruz, México e incluso hasta con el Distrito Federal. Se comercializan productos agrícolas, mineros, industriales y artesanales.

Ahora recorramos otra región, que tiene pocas diferencias con la que hasta aquí conocimos.

Instalaciones de la Hidroeléctrica Necaxa

Región Teziutlán

Al entrar a esta región, podríamos asegurar que aún nos encontramos en la de Huauchinango, ya que a simple vista no cambia nada. Conforme la vayamos recorriendo y conociendo nos daremos cuenta qué tanta similitud o diferencia existe entre ambas. Teziutlán se localiza en el noreste del estado. Limita al norte y este con el de Veracruz; al sur con la región de Ciudad Serdán y al oeste con la de Huauchinango. De los 32 municipios, se eligió Teziutlán para ser la cabecera regional.

Hay zonas planas y elevadas. Las elevadas son continuación de la Sierra Norte de Puebla. Recibe varios nombres, el más conocido es Sierra de Zacapoaxtla. El clima, en general, es templado. Pero en la zona del declive hacia Veracruz, el clima es cálido y en las zonas montañosas, frío. Esta región es muy favorecida por las lluvias que traen

Los paisajes con neblina son característicos de la región

los "nortes" y ciclones provenientes del Golfo de México. Esto ocasiona una humedad constante y por tanto, una frecuente presencia de neblina en la zona montañosa.

Los ríos son importantes para todas las actividades: agrícola, ganadera e industrial. El Río Apulco es un afluente del Necaxa; el Río Martínez de la Torre, o Nautla en Veracruz, y otros ríos más pequeños.

La vegetación es abundante. En las zonas altas tenemos bosques de pinos y en las menos altas, de encinos. Hacia la Llanura Costera del Golfo, liquidámbar, álamos, fresnos, sauces, etc. La fauna también es numerosa; en las zonas elevadas todavía podemos encontrar animales salvajes como temazate, tigrillo, zorra, mapache, armadillo, cacomixtle y otros; estos animales son perseguidos por los agricultores para comercializar su piel y su carne. Además encontramos reptiles, arácnidos variados y aves, como el quetzal, que ya casi se ha extinguido.

En la zona montañosa, al igual que en la región anterior, habitan grupos indígenas bilingües: hablan su lengua autóctona y el español. Los habitantes de esta región se dedican principalmente a las actividades agrícolas. Hay dos tipos de cultivos: el de autoconsumo y el comercial.

Presa Apulco

Valle interserrano

Plantación de caña de azúcar

La avicultura es una actividad para autoconsumo

En esta región existe una migración temporal, ya que en los meses de abril, mayo y junio los campesinos llegan a las zonas bajas cercanas a la costa para emplearse en fincas ganaderas y en el corte de caña.

Cuando es la época del corte del café, viajan a la sierra muchos campesinos de las zonas planas. Algunos habitantes de municipios del sur de la sierra poseen tierras de muy baja calidad emigrando a sitios como Hueyapan, Cuetzalan, Xochitlán y Teziutlán.

Trabajan en cultivos y cosechas de maíz, café y algunos frutales. Los principales cultivos son maíz, trigo, frijol, cebada, arroz, algodón, caña de azúcar, papa, tabaco y café: manzana, ciruela, pera, mango, limón, plátano, naranja, etc. Por la producción de frutales, la región es considerada una de las zonas más importantes del estado y del país.

Dedicarse principalmente a la agricultura no quiere decir que no haya otras actividades también importantes.

En la ganadería, existen cabezas de ganado ovino, vacuno y aves de corral. Los productos de esta

Manzanas de Zacatlán

Cosecha de café

actividad son principalmente para autoconsumo, al igual que la caza, pesca y recolección de algunos vegetales o frutos posibles de obtener durante ciertas temporadas

Por vivir en zonas montañosas, también algunos habitantes se dedican a la minería; se extrae: zinc, oro, plata, cristal de roca, etc.

En la región, hay actividad industrial: jabonera, de licores y aguardientes, metalúrgica, alimenticia, de madera, cafetalera y de artesanías. Las artesanías desempeñan un papel importante dentro de la economía como la alfarería textil, pirotécnia y talabartería.

El comercio también es muy importante. Se comercializan, principalmente, productos florícolas, cafetaleros y artesanales; con la capital de nuestro estado, con el de Veracrùz y con el Distrito Federal.

Como podemos apreciar, la región de Huauchinango y la de Teziutlán son muy parecidas. Son las zonas más visitadas de nuestro estado.

Ahora preparémonos a recorrer una región diferente a las que hasta aquí hemos conocido.

Región Ciudad Serdán

Continuando nuestro recorrido, llegamos a una región muy diferente, ésta se localiza en la parte central del estado, limita al norte con la región de Teziutlán; al sur con la de Tehuacán, al este con Veracruz, al oeste con Tlaxcala y al suroeste con la región de Puebla. Ciudad Serdán es la cabecera regional.

Existen zonas planas y montañosas, las zonas elevadas pertenecen a la Sierra Madre Oriental, de la que sobresale el Pico de Orizaba en los límites con Veracruz (5 747 m); dentro de las zonas planas se encuentran los llanos de San Andrés Chalchicomula y los de San Juan. El clima en general es templado, aunque en la zona de la sierra es frío.

Las aguas de los ríos son importantes para las actividades agrícolas, ganaderas e industriales; sobresalen: los ríos Resumidero y Huehuetlán. Además, existen las lagunas: Totolcingo, Alchichica, Quecholac, Aljojuca, Tecuitlalpa y Patlanalán.

Tiene una vegetación variada, en las zonas montañosas hay bosques

En los llanos se practica la agricultura

Crianza de ganado porcino

de pino, abeto y encino; pastizales y gramíneas. En las zonas planas la vegetación principal es de pastos y en los llanos se practica la agricultura.

La fauna la componen lagartijas, conejos, ardillas y aves, entre otros animales.

Los habitantes de esta región se dedican a diversas actividades, destaca la agricultura de: maíz, frijol, papa, cebada, trigo, alfalfa y hortalizas. La ganadería de: bovinos, ovinos, porcinos, caprinos y aves. La minería, aunque, no en grandes cantidades: oro, plata, cobre, zinc, feldespato, sílice y plomo. La industria de: alimentos balanceados y veterinarios, madera y muebles; química; fundición y manufacturas de artículos metálicos y de construcción.

El comercio es muy importante para la región, se comercializan productos alimenticios y bebidas; sustancias y productos químicos; materiales para construcción; muebles y artículos de ferretería y tlapalería. Éste se realiza en las otras regiones del estado, con Veracruz y Tlaxcala.

Ahora nuestro recorrido será hacia el oeste del estado por la región de San Pedro Cholula.

Región San Pedro Cholula

Está situada en la parte oeste del estado, limita al norte con el estado de Tlaxcala; al este con la región de Puebla; al sur con la de Izúcar de Matamoros; al sureste con Morelos y al oeste y noreste con el estado de México. San Pedro Cholula es la cabecera regional.

El terreno predominante es plano, aquí se encuentran los valles de Atlixco y Puebla; también hay zonas elevadas, como la Sierra Nevada, de la que forman parte el Popocatépetl y el Iztaccíhuatl. El clima de la región en general es templado y la lluvia se presenta en la época de verano.

El agua de los ríos es utilizada para regar las zonas agrícolas, los más importantes son el Atoyac, Molinos, Tipexco y Atotonilco; además, existen manantiales como Ahuehuete y Atlimeyalco, de los que se extrae agua potable para consumo de la población.

En las partes montañosas se presenta la vegetación de bosques principalmente de pino-encino; en las zonas planas hay pastos y terrenos dedicados a la agricultura. Encontramos animales como conejos, lagartijas, ardillas y aves.

La población se emplea en distintas actividades: agricultura, ganadería, minería, industria y comercio. La presencia de tierras favorables para la agricultura y de agua de riego, hace de esta zona la

Río Atoyac

Ganado bovino

La Merced, joya colonial de Atlixco

más sobresaliente en esta actividad. Los principales cultivos: maíz, frijol, trigo, sorgo, manzana, aguacate, hortalizas y flores.

Además, la presencia de pastos favorece a la actividad ganadera, sobresale el ganado bovino, porcino, caprino, ovino y avícola.

La actividad minera se practica poco, sobre todo, en las zonas elevadas y se extrae principalmente caliza, sílice y gas carbónico.

Destaca la industria de textiles, automotriz, petroquímica, metal-mecánica, productos de madera, materiales de construcción y productos alimenticios.

El comercio es también una actividad importante para la zona, se comercializan principalmente animales vivos, productos alimenticios, bebidas, materiales para construcción, muebles, sustancias, productos químicos y vestido. Esta actividad se realiza con las otras regiones y con los estados de Veracruz, Tlaxcala, México e incluso con el Distrito Federal.

En esta región, además, se cuenta con atractivos turísticos, como en el caso de la Ciudad de Cholula.

Siguiendo con el recorrido, llegamos a la región en donde se encuentra la capital del estado y nos disponemos a conocerla.

Región Puebla

Ahora empecemos el recorrido de la región conociendo sus límites; al norte con el estado de Tlaxcala, al sur con las regiones de Izúcar de Matamoros y Tehuacán; al oeste con la de San Pedro Cholula y al este con la de Tehuacán.

Puebla es la capital del estado.

En el terreno se observan zonas planas dentro de las cuales, se encuentra el Valle de Puebla y zonas elevadas como la Sierra de Tentzo, Sierrita de Amozoc y Tepeaca. De las elevaciones sobresalen El Pinar (2 644 m), El Tintero (3 316 m) y dentro de Puebla la Malinche en los límites con Tlaxcala (4 461 m).

Predominan dos climas, el templado y el semifrío, y la época de lluvias es durante el verano.

Los ríos más importantes el Atoyac y el Alseseca; además está la Presa Manuel Ávila Camacho. El agua de estos ríos es importante para el riego de los campos dedicados a la agricultura y la presa también es importante para la generación de energía eléctrica.

En las laderas de La Malinche, la vegetación predominante es de bosques y pastizales; en la Sierra de Tentzo, los cerros son muy accidentados y secos; en las laderas de El Pinar se encuentran pinos que le dan su nombre y en las zonas planas y tierras para la agricultura. Hay animales como: mamíferos, aves, reptiles, lagartijas, zorrillos, ardillas, lobos, entre otros.

Las actividades a las que se dedica la población son muy variadas. Por las características del

Presa Manuel Ávila Camacho

terreno, la principal actividad es la agricultura de productos como el maíz, frijol, hortalizas, flores, alfalfa y durazno.

Por la presencia de pastos, también se favorece la actividad ganadera y destaca la presencia del ganado bovino, caprino y ovino. La actividad minera también es importante para la zona y los minerales que se extraen son: calcita, mármol, yeso y dolomita. En las aguas de la Presa Valsequillo se practicaba la pesca.

A lo largo de la región se extienden los centros industriales mejor equipados y más cercanos a la Ciudad de México y cuenta con parques industriales; las industrias más importantes: textil, de alimentos, bebidas, productos químicos, metalmecánica, automotriz, eléctrica, siderúrgica, de tocador, construcción y materiales, fotográfica, muebles, artes gráficas, combustibles y lubricantes.

La actividad comercial se lleva a cabo principalmente con la Ciudad de México y se comercializan diferentes productos: alimenticios, bebidas, sustancias y productos químicos, materiales para construcción, de ferretería, de tlapalería, maquinaria, aparatos científicos, eléctricos, fotográficos, artículos de papelería, vehículos, piezas de repuesto, vestuario, materias primas vegetales y animales vivos.

Como se puede apreciar, la región de Puebla es la más importante para el estado, concentra mayor cantidad de población y tiene por lo mismo graves problemas como desempleo y carencia de servicios.

Ahora nuestro recorrido lo seguiremos hacia el sur del estado, preparémonos para entrar a otra región.

Comercialización de los productos del campo

Región Izúcar de Matamoros

Se localiza en el suroeste y limita con las regiones de San Pedro Cholula y Puebla; al sur con los estados de Guerrero y Oaxaca; al este con la región de Tehuacán y al oeste con el estado de Morelos. Izúcar de Matamoros es la cabecera regional.

El terreno es irregular, tiene zonas planas y elevadas, sobresalen la Sierra de Tentzo, la Mixteca Baja y el Cerro del Eje. El clima que predomina es el cálido y la época de lluvias es en verano.

Los ríos que riegan la región, son afluentes del Atoyac y tiene varios nombres; Mixteco, Atila, Cohetzala, Huehuetlán, Tepexco, Atotonilco, Acatlán y Tlapaneco; sus aguas son empleadas principalmente en los campos agrícolas y para consumo de la población.

La vegetación es variada, en las zonas montañosas hay bosques de pino-encino, mixtos y de oyamel; sabana o vegetación de árboles espaciados y en las partes planas existen matorrales, chaparrales y pastizales. Además terrenos, dedicados a la agricultura. Hay animales como monos, ardillas, lagartijas, aves, entre otros.

Son muy distintas las actividades a las que se dedica la población. En la

Riego por aspersión en campos agrícolas

Ganado caprino

actividad agrícola, los principales productos son el maíz, frijol, ajonjolí, cacahuate, tomate, hortalizas y caña de azúcar. Por la presencia de pastizales se ve favorecida la ganadería, sobresale ganado vacuno, ovino, caprino, porcino y avícola. Por tener zonas elevadas, la minería es otra actividad que emplea gente de la región, pero en número reducido, se extraen productos como: talco, asbesto, cuarzo, barita, cromo, magnesio, oro, yeso, etc.

La industria emplea gran parte de la población, destaca la de productos alimenticios; cerámica, vidrio y mica; fundición y manufacturas metálicas y materiales para construcción.

La zona de la Mixteca representa un obstáculo permanente para el desarrollo de la región y se han hecho obras de infraestructura hidráulica que ayudan a ampliar su productividad.

El comercio, al igual que en todas las regiones anteriores es importante y principalmente se realiza con el estado de Oaxaca, se comercializan productos alimenticios, bebidas, materiales para construcción y papelerías, muebles, vestuario, sustancias, productos químicos y artesanías.

Nos acercamos al fin de nuestro recorrido ya que sólo nos falta por conocer una región y tendremos un panorama más amplio de nuestro estado.

Región Tehuacán

Esta región se ubica en el sureste del estado y limita al norte con la de Ciudad Serdán, al este con el estado de Veracruz, al sur con Oaxaca, al oeste con la región de Izúcar de Matamoros y al noroeste con la de Puebla. Tehuacán es la cabecera regional.

El terreno presenta zonas planas y elevadas, sobresalen la Sierra de Tentzo, Sierra Mixteca y Sierra de Tehuacán; las elevaciones principales son: Cerro de Axuxco (2 500 m), Tzitzintepetl, Colorado y Xochiltepec. Se presentan dos tipos de clima, el templado y el semicálido.

Las aguas de los ríos corren de norte a sur y son aprovechadas para el riego de tierras agrícolas. Los ríos importantes: Morelos, Magdalena, Tehuacán, Caltepec, Zapotitlán, Toltepec, Tizapán, Miahuatlán y Tonto. Hay lagunas importantes para la zona: San Bernardino Grande, San Bernardino Chico y Lagunillas. También existe una presa importante, la de Cacaloapan. Además, hay manantiales minerales muy renombrados, El Trigo, Garci Crespo, San Lorenzo, Santa Cruz, la Granja y otros.

Se han hecho obras de riego abriendo canales que vienen desde Valsequillo, donde se levanta la Presa Manuel Ávila Camacho.

La zona montañosa tiene una vegetación de bosque de coníferas en las partes altas, selva baja en las riberas del Río Tonto, en las zonas planas hay pastizales; en la zona sur de la región el clima es seco y la vegetación que hay es la de

Axalapasco de Atezcal

mezquital; además terrenos dedicados a la actividad agricola.

Son diversas actividades a las que se dedica la población, pero en general son las que se practican en todo el estado.

La agricultura, al igual que en las otras regiones es importante, ya que los productos que se obtienen son para autoconsumo de la población y para comercializarlas; los principales cultivos son: maíz, frijol, cebada, trigo, alfalfa, sorgo, aguacate, café manzana y durazno.

En cuanto a la actividad ganadera, se ve favorecida por la presencia de los pastizales y los tipos de ganados son: bovino, caprino, ovino, porcino y avícola. La minería es importante y de los minerales que se extraen los más sobresalientes son: ágata, manganeso, barita, mercurio, mármol, oro, plata, cobre, plomo, cuarzo, etcétera.

Transporte de agua mineral de Tehuacán

Las aguas termales son un atractivo turístico

Esta región entró a su etapa industrial utilizando adecuadamente sus industrias refresquera, turística y más recientemente la avícola. Destacan otras industrias: de productos alimenticios, de madera y muebles, química, fundición y manufacturas metálicas, construcción y materiales, y la extractiva.

La actividad comercial se realiza con todo el estado, pero principal y permanentemente con los pueblos de la Mixteca alta. Se comercializan animales vivos, productos alimenticios, bebidas, sustancias, y productos químicos, materiales para construcción, muebles, ferreterías, vehículos, piezas de repuesto y artesanías.

Con este recorrido terminamos nuestro viaje por las distintas regiones del estado; ahora, conozcamos nuestro pasado y presente en los capítulos siguientes.

2

Nuestro origen histórico

Los primeros pobladores
Del teocintle al maíz
La influencia olmeca
El impacto de otras culturas
Popolocas históricos
Una fortaleza en La Huasteca
Lugar de reunión en el tiempo
Los señoríos independientes
Dominación mexica
Desarrollo prehispánico

cautibo.
cabtiuo
cabtiuo.
cabtiuo
cabtiuo.
cabtiuo
quauhnochtli.
tlilancalqui.
atenpanecatl.
tlacochcalcatl.
tezcacoacatl.
ticocyahuacatl.
tocuiltecatl.

Los primeros pobladores

Desde los tiempos en que los seres humanos hicieron su aparición en Asia, África y Europa fueron cazadores. Cambiaban frecuentemente de sitio; a veces, en busca de animales para alimentarse de su carne y cubrirse con su piel, y otras, para huir de las bajas temperaturas que entonces existían. Los hombres siguieron esta rutina durante miles de años, tiempo en el cual se dieron cuenta que, al ir buscando presas, llegaban a sitios en donde encontraban agua, alimento y refugio. En esos lugares se establecían unos meses y a veces años, hasta que iniciaban nuevamente su marcha; trataban de hallar el sustento diario en rumbos totalmente desconocidos para ellos.

En una de tantas caminatas y persecuciones, sin saber a dónde se dirigían, llegaron al Continente Americano, posiblemente hace 40 mil años. Según las teorías científicas más aceptadas, penetraron por el norte a través del Estrecho de Behring. Se desplazaron por las inmensas tierras americanas, evitando la nieve y los fríos extremos, con la intención de hallar frutos silvestres; seguían la ruta de los animales que buscaban zonas de mejores climas y pastos abundantes. Atravesaron numerosos valles, subieron o rodearon las montañas. Y

Los pueblos nómadas fueron cazadores

Las cuevas sirvieron de refugio a los nómadas

cuando llegaban a la orilla de un río, lo cruzaban a nado, otras veces se ayudaban con troncos y en muchas ocasiones, investigaban qué partes tenían menos profundidad o si existía un paso natural que formara un puente para pasar al otro lado y poder continuar su marcha.

En ocasiones, el recorrido se volvía peligroso. Pero también hubo momentos en que parecía ser una excursión, porque aprendían acerca de la nueva fauna y flora que observaban en el camino. Así, y con precaución, descendieron por los actuales territorios de Canadá y Estados Unidos, y penetraron por diversos sitios a México, tal vez hace 30 mil años.

Pasaron los años y los primeros habitantes de nuestro país se introdujeron al Altiplano, en donde las condiciones especiales de clima (distintas al actual), la suficiente cantidad de agua, las grandes extensiones de bosques y la fertilidad de la tierra permitieron que existiera el medio propicio para la supervivencia de animales de caza; por consiguiente, fue favorecida la concentración de grupos en este vasto lugar. Aquí cerca de grandes lagos (hoy en su mayor parte secos), fueron los sitios donde habitaron.

A estos hombres se les llamó cazadores y recolectores nómadas, ya que iban de un lugar a otro. Poseían una cultura y técnica

La cacería propició la elaboración de nuevas herramientas

rudimentarias. Usaban herramientas de piedra tallada, como raspadores y navajas que emplearon en la caza y la pesca; se alimentaron de frutos y granos y, principalmente de los animales que perseguían, como el mamut, el bisonte, el primitivo caballo de América, aves y otras especies. Algunas especies desaparecieron al no poderse ambientar a los cambios de clima y por la persecución de que fueron objeto por los grupos humanos. En consecuencia, éstos comenzaron a depender, en mayor grado, de la recolección de vegetales; aunque seguían cazando animales más pequeños como venado, conejo y ardilla.

En la búsqueda de nuevas plantas con qué alimentarse, llegaron a la Meseta Poblana y vivieron durante un tiempo en la zona de Valsequillo. Al pasar por la Barranca de Caulapan dejaron olvidada, o por ya no servirles, hace 21 mil años, una raedera o piedra tallada para cortar la carne de los animales y trozar madera. En este tiempo, su organización era muy sencilla: sólo se agrupaban por familias en las que el más fuerte o más hábil en la caza o la pesca era su jefe. Se dedicaban a la recolección, y en menor grado, a la cacería; hacían instrumentos de piedra y curtían en forma muy rudimentaria las pieles, con las cuales se cubrían. Sus

Recolección de vegetales

hogares fueron las cuevas o los lugares donde podían defenderse de las inclemencias del tiempo y de las fieras. También conocían el fuego, con el que asaban la carne de los animales y se procuraban calor. Volvieron a pasar miles de años durante los cuales aquellas generaciones que estuvieron en el territorio poblano, poco a poco se multiplicaron y se esparcieron por varias regiones de México. Al mismo tiempo, nuevos grupos llegaron a nuestro actual estado

Algunos pasaron de largo; se dirigieron posiblemente, a lo que es hoy Veracruz, Tabasco, Oaxaca, Chiapas y la Península de Yucatán; otros se quedaron a radicar en una amplia zona poblana. Para entonces, sus características culturales habían aumentado; es decir, ya portaban puntas de lanza y átlatl o lanzador de dardos; tallaban los objetos de madera y hueso; con fibras vegetales, elaboraban bolsas, lazos y redes de carga, e hicieron instrumentos para moler granos. Con relación a los grupos anteriores, su alimentación era muy variada; aparte de la poca caza, consumían en forma silvestre: camote, frijol, chile, calabaza, aguacate, ciruela y maguey, entre otras cosas, con lo cual enriquecieron su dieta.

Del teocintle al maíz

Ya mencionamos que el hombre descubrió la agricultura. En este sentido, es importante saber que en nuestro estado, y en el Valle de Tehuacán, se encontraron las primeras mazorcas cultivadas.

El hombre, al pasar de Asia a América era ya cazador y recolector, actividades que practicó durante miles de años. En ese tiempo, acumuló conocimientos sobre los animales y plantas que le sirvieron para su alimentación. A través de los años y por los cambios de climas, los grandes mamíferos fueron desapareciendo. La caza disminuyó y fue entonces cuando el hombre se vio obligado a depender, en mayor grado, de la recolección; aunque seguían cazando animales menores como venado, conejo y ardilla. La caza fue complementada con la pesca. En su recorrido, encontraron tierras más fértiles y por tanto, las raíces, los vegetales y los frutos fueron más variados, enriqueciendo su dieta.

Al llegar a territorio mexicano, el hombre comenzó a consumir frijol, calabaza, ciruela, penca del maguey y teocintle en forma silvestre. De la misma forma en que encontró plantas comestibles, también halló las que tenían efectos curativos.

Estos hallazgos obligaron al hombre a permanecer en determinadas zonas; es decir, comenzaron a asentarse en un territorio, lo que ayudó a un mejor conocimiento de la flora y la fauna locales.

Al observar la reproducción de las plantas, se dio cuenta de que las semillas germinaban y que de ellas crecían plantas que, a su vez, producían más semillas. El hombre también supo que el agua era necesaria para la reproducción; que la siembra debía hacerse en determinadas épocas del año: la de lluvias; que cada especie necesitaba cierto grado de humedad y los cultivos debían protegerse de los animales dañinos. Así, vieron que la agricultura era más productiva y su alimentación más segura. Por estas razones, prefirieron dedicarle más tiempo a cultivar, que a cazar y pescar. Así el hombre descubrió la agricultura hacia el año 7 000 aNE.

El hombre conoció las condiciones del ambiente que favorecían a la agricultura. Pero al no haber desarrollado, para entonces, las técnicas del cultivo, inició la actividad agrícola en aquellos lugares donde ya existía la suficiente cantidad de agua, que requirieran las plantas para su crecimiento y reproducción. Esas tierras fueron, en el mayor de los casos, propicias para las gramíneas (plantas que dan fruto en espiga). De acuerdo a los estudios arqueológicos realizados en el Valle de Tehuacán, posiblemente la setaria (planta gramínea), de la que se aprovechaban sus semillas, haya sido el primer cultivo de América. Después, entre los años 6 500 al 5 200 aNE, se empezó a cultivar la calabaza, el chile, y el amaranto (con este último se elaboran las alegrías) y también se recogían los granos de teocintle que se daba en forma silvestre.

El teocintle es el maíz primitivo

Tiempo despues, entre las plantas que el hombre conocía, decidió cultivar, con especial interés, el teocintle (maíz del dios) llamado científicamente *Zea mexicana*. No sólo por el grano, sino por el tallo jugoso, mejoró su alimentación. Por esta razón, trasplantó el teocintle de su lugar de origen a los campos ocupados por las setarias.

Pasaron muchos años para que el teocintle se adaptara a su nuevo ambiente. Durante este tiempo, el hombre se dio cuenta de que este cultivo necesitaba de muchos cuidados. Con esta atención, logró especies numerosas y resistentes a los cambios de clima. Como consecuencia, surgieron algunas mutaciones naturales que fueron mejorando la planta de teocintle. El resultado de ella fue el desarrollo del maíz, cuya mazorca llegó a medir de tres a cinco centímetros de largo. Esto debió ocurrir entre los años 5 200 al 3 400 aNE. Sin embargo, las pequeñas mazorcas no podían constituir todavía una base de la alimentación para el hombre.

Los siglos transcurrían. Los conocimientos sobre la agricultura aumentaban y pasaban de padres a hijos, quienes mejoraron las técnicas agrícolas y las aplicaron a varios cultivos: frijol, aguacate, maíz, calabaza, entre otros.

Así, entre los años 3 400 al 2 300 aNE, la población del Valle de Tehuacán llegó a tener una variedad híbrida de maíz, del tamaño que hoy conocemos. Obtenía el 25% de su alimentación a base de productos cultivados; el 50%, de plantas silvestres y el 25% de la caza. El tipo de preparación de los alimentos se iba modificando; por ejemplo, el frijol que antes se comía en vaina ahora lo desvainaban y se asaba o cocía.

Por último, de los años 2 300 al 1 500 aNE, la agricultura se convirtió en la base de su economía porque de ella obtenían, en mayor proporción, el sustento diario; además, había excedentes o sobrantes de los productos agrícolas que podían ser guardados.

Con el descubrimiento de la agricultura, los grupos prehispánicos se asentaron en un lugar fijo; es decir, se hicieron sedentarios lo cual propició un desarrollo en la organización económica, política, social, religiosa y cultural. El tiempo antes utilizado en el traslado de un lugar a otro y en la búsqueda de alimento y refugio, se aprovechó ahora para organizarse.

La influencia olmeca

Hemos visto que con el sedentarismo, se inició la construcción de aldeas en el Valle de Tehuacán, en Coxcatlán, en la zona del Valsequillo, etcétera. Esas aldeas fueron la base de numerosos poblados que llegaron a tener una economía basada en el cultivo del maíz, frijol, la calabaza, el chile, el aguacate, el zapote; en la caza, la recolección y la pesca. Las técnicas continuaron desarrollándose, de modo que se llegaron a elaborar objetos de palma, cazuelas, ollas de piedra, metates y cuchillos de obsidiana.

Posteriormente, los grupos que ocuparon el territorio de nuestro actual estado, se vieron enriquecidos culturalmente por la influencia de un grupo llamado olmeca que se estableció en la costa del Golfo de México (al sur de Veracruz y norte de Tabasco) y tierras circunvecinas.

Los olmecas transmitieron sus costumbres, arte y organización a través del comercio. Su economía estaba basada en la agricultura y se complementaba con la caza, la pesca y la recolección. Vivían en aldeas permanentes. También señalaron lugares para los entierros Tenían una división del trabajo, es decir, la gente se dedicaba a tareas específicas, había quienes trabajaban en el campo, en la construcción de casas y pequeños centros ceremoniales, en las artesanías, en el comercio, y quienes organizaban la vida política, económica, social y religiosa del pueblo.

Cerámica olmecoide encontrada en Ajalpan

Cabezas de figurillas olmecas, en Ajalpan

Los olmecas utilizaban el basalto, el jade y otros tipos de piedra para hacer sus esculturas, con representaciones muy realistas; también en máscaras, punzones, cinceles, pendientes, collares y amuletos. Asimismo, introdujeron figurillas con aspecto mitad hombre y mitad animal, sobre todo de jaguar. En la cerámica, introdujeron los motivos decorativos de caras, garras, encías, cejas y manchas de jaguar; también fabricaron botellones, platos, vasijas, etcétera.

Su auge cultural se realizó entre los años 1 300 a 200 aNE; aunque ya desde mucho tiempo atrás tuvieron influencia en el territorio que actualmente ocupa nuestra entidad. Los grupos de nuestro estado, como los de la mayoría de México, con las aportaciones de los olmecas tuvieron un avance cultural que les permitó mejorar su forma de vida.

Los primeros lugares de nuestra actual entidad donde se hizo presente la influencia olmeca fueron: El Caballo Pintado y la zona de Las Bocas en el municipio de Izúcar, en Ajalpan, donde se cultivó el maíz, el frijol, la calabaza, los guajes, el amaranto, el chile y el algodón. Las aldeas se agruparon en chozas construídas con varas clavadas en la tierra, atadas y recubiertas con una mezcla de lodo y paja, llamada de bajareque. Había sacerdotisas que ejercían un poder considerable sobre la población; la familia estaba bajo la dirección de la mujer, es decir, el tipo de organización social era el matriarcado. En Moyotzingo, cerca de San Martín Texmelucan, había chozas con pisos de lodo y graneros subterráneos. La cerámica adornada con distintos colores: negro, café, blanco, amarillo y gris. A los muertos se les enterraba en posición horizontal o sentados

En los tres sitios mencionados, también se encontraron varias figurillas de procedencia olmeca; pero las más representativas son las halladas en la zona de Acatlán: las figuras están talladas y esculpidas en piedra y muestran a un hombre alto, delgado, de cabeza alargada y facciones de jaguar; otro es de menor tamaño, gordo, con cabeza gruesa y aplanada, con rasgos faciales de jaguar y de niño, rasgos característicos de la escultura olmeca.

Otros lugares con influencia olmeca fueron: Cholula, Atzitzintla, Coapa, Palmar, Atzala, Necaxa, Aljojuca, Tepatlaxco y Metepec.

Los olmecas habían iniciado la construcción de centros ceremoniales con la superposición de plataformas o basamentos, plazas y pequeños templos. Además, iniciaron la integración de aldeas alrededor de la construcción principal, costumbre que más tarde sirvió de base para construir ciudades estado, como las que se encontraron en el Valle de Tehuacán, en el municipio de Vicente Guerrero. Aquí se agrupaban en pueblos, cuyas chozas eran construídas con bajareque. Cultivaban la tierra; tejían el algodón; también eran alfareros y construían estructuras ceremoniales.

En Totimehuacan, cerca de Puebla, existen montículos, terrazas y plataformas que indican la edificación de un centro ceremonial. Una de las construcciones es de planta rectangular, con paredes recubiertas de piedra caliza y en cuya parte superior hay restos de un templo-choza con piso de lodo. En el interior de la plataforma de la pirámide se encontró un entierro; también, un salón circular con techo en forma de bóveda falsa y, en el centro, una tina de piedra de basalto —material utilizado por los olmecas de La Venta, Tabasco, en el altar llamado La Viejita— con un desagüe en una de las esquinas y con cuatro ranas labradas.

En Amalucan, al este de la Ciudad de Puebla, antes de llegar a la población de Chachapa, hay un conjunto de construcciones que cubren un área aproximada de 10 a 15 km^2, localizadas en un terreno llano, junto a la colina Cerro de Amalucan.

El grupo más grande se encuentra en el llano, cerca de la carretera Puebla-Veracruz. Está compuesto por grandes montículos y varias estructuras pequeñas, las cuales se hallan alrededor de una plaza. El edificio principal está edificado sobre una plataforma y tiene en su extremo sur, otra construcción. Los

Huehuetéotl, dios viejo de los olmecas

Máscara funeraria. Representa la vida y la muerte

montículos del sitio varían en forma, desde plataformas alargadas hasta edificios de apariencia cónica.

El grupo del Cerro Amalucan está integrado por cerca de 20 pirámides; en la cumbre, está un montículo grande y de aspecto cónico, rodeado por tres estructuras más pequeñas. Toda la cumbre de la colina parece estar nivelada, porque tiene terrazas en plataformas.

También se descubrieron canales; uno principal y con ramales tanto para la irrigación de los campos de cultivo y la distribución de agua para las necesidades de la población como para el del centro ceremonial.

En el municipio de San Matías Tlalancaleca existen tres basamentos piramidales y dos plataformas. El principal es el conocido como Cerrito de la Cruz; quedan restos de un templo que estuvo recubierto con estuco, especie de yeso. Su construcción fue hecha con piedra.

Cerca del templo, se encontró una escultura de Huehueteotl, dios del fuego, en piedra basáltica, de indudable influencia olmeca. Representa a un hombre encorvado que lleva un brasero sobre la cabeza. Está sentado con las piernas cruzadas al frente y con las manos apoyadas sobre las rodillas.

Tiene orejeras y un adorno en la nariz. También se halló una especie de tina o sarcófago, de un solo bloque y además la estela de Ameyal, que quizá fuera una de las representaciones más antiguas de un dios o personaje relacionado con la vida y la muerte.

En Cholula, también se inició la construcción de un basamento y, sobre el mismo, un templo. Otros sitios más son los de San Francisco Acatepec, Calipan, Chalchicomula, Tepalcayo, San Hipólito, Zacapoaxtla y Teteles.

De esto se desprende que, tanto en la Cuenca de México, como en Morelos, Puebla y Veracruz, fue iniciado el desarrollo de la arquitectura, lo que permitió la construcción de grandes centros ceremoniales.

Los olmecas y su influencia fueron desapareciendo hacia el año 200 aNE, posiblemente debido a la invasión de nuevos grupos; pero su cultura prevaleció en nuestro estado como en la mayoría de los pueblos de México.

Todas las aportaciones de los olmecas, junto con la cultura de otros pueblos de México, dieron por resultado una base cultural común a partir de la cual se desarrollarían las características propias de cada pueblo.

El impacto de otras culturas

Después de la influencia olmeca, los pueblos de México continuaron desarrollando la cultura. La agricultura se intensificó, lo cual permitió un excedente en la producción; las relaciones comerciales se extendieron entre los pueblos de México, estableciendo relaciones e influencias políticas, sociales, económicas y religiosas. La sociedad estaba dirigida por el grupo sacerdotal; éste poseía los conocimientos de la religión, la astronomía, las matemáticas, y asimismo, conducía al pueblo en la adoración de ciertos dioses; también ordenaba la construcción de templos, la labranza de la tierra y la entrega de tributos o de una parte de los que se producía. Ejemplo de estas manifestaciones lo fue Teotihuacan, pueblo que influenció a todos los grupos culturales de México.

Teotihuacan: "Ciudad donde el hombre al morir se convierte en dios o ciudad de los dioses." Este pueblo desarrolló su cultura desde principios de nuestra era, en el actual estado de México. Su organización manifestó una avanzada cultura urbana, porque existía una división definida del trabajo. Así, la Ciudad de Teotihuacan, que fue densamente habitada, tenía una planificación de barrios dedicados al culto y a las ceremonias; otros a la habitación de sacerdotes y gobernantes; al mercado; a los artesanos, a los comerciantes y a los agricultores.

Por esta razón, "la ciudad de los dioses" presentaba un desarrollo superior a cualquier otro de México En ella existía la división social de sus habitantes según el rango, la profesión y las ocupaciones. Por otra parte, esta sociedad definió la organización política, económica, social y cultural que los pueblos del México Prehispánico, tomaron como base para su desarrollo. Su economía se basaba en la agricultura y en el comercio. La decadencia de este pueblo se originó hacia el año 850; probablemente fue debido a luchas internas por el poder.

Los grupos que vivían en nuestro estado recibieron de Teotihuacan, elementos culturales que incorporaron a los propios, perfilándose nuevas formas de organización. Esto se debió a la cercanía entre Teotihuacan y los valles, llanos y sierras de nuestro estado. En éste se encuentran sitios importantes con testimonios de la cultura teotihuacana; nos demuestran que el poder y el control social lo ejercían los sacerdotes, ayudados por administradores que regulaban la producción agrícola y artesanal. En la alfarería, se producía cerámica delgada de color gris y naranja; las vestimentas eran de algodón y cortezas vegetales; había un gran comercio y existía mano de obra para construir basamentos piramidales, templos, habitaciones y tumbas decoradas con esculturas y pinturas de algunos dioses como Tláloc, deidad de la lluvia.

Las ciudades que tenían centros ceremoniales, concentraban las funciones administrativas, políticas religiosas y comerciales. De ellas dependían también las pequeñas poblaciones que se encontraban en la zona.

Existen muchos ejemplos de asentamiento con influencia teotihuacana en nuestro estado; entre ellos Manzanilla, cerca de la Ciudad de Puebla, donde fue encontrado un juego de pelota que tiene forma de "I", limitado por tableros tan característicos en la arquitectura teotihuacana; además, hay montículos que forman plazas y patios pequeños y una tumba. En el

Teotihuacan: "Ciudad donde al morir, los hombres se convierten en dioses"

Valle de Teotihuacan, los centros ceremoniales tenían varios edificios, plazas, basamentos escalonados, habitaciones y juegos de pelota. En el municipio de San Juan Ixcaquixtla. Se encontraba uno de los principales centros productores de cerámica donde se hacían tazones, vasijas en forma de calabaza con animales u hombre-animal y en colores anaranjado, negro, rojo. Las casas se construían con postes y pisos de tepetate al que posteriormente pintaban. Los entierros se acompañaban con ofrendas de cerámica.

Otros centros que sobresalieron por su importancia fueron Cantonac, Totimehuacan, Tlalancaleca, Acuesomac, Cuatlapanga, Los Frailes, Acatepec, Totolqueme.

Durante el esplendor teotihuacano y la dominación de los olmecas históricos de Cholula, otra ciudad floreció en nuestro estado: Cantonac. Se ha dicho que su nombre quiere decir "casa del sol".

Sus pobladores mantuvieron relaciones, por lo menos, de tipo comercial con los teotihuacanos y los olmecas históricos. Aunque se cree que recibieron influencias culturales de los toltecas, totonacas y mexicas.

La ciudad contaba con calles muy amplias, a los lados de los cuales se encuentran, actualmente, restos de muros de piedra y montículos derruídos que probablemente, fueron las casas y templos de los habitantes. Tenían plazas exclusivamente para los ritos ceremoniales.

Al sur de la ciudad, fue descubierta una tumba. El personaje ahí enterrado tiene entre las manos, una flecha pintada de blanco y varias ofrendas las cuales consisten en piezas de obsidiana, un caracol, un sahumerio, dos floreros y una olla.

Otra influencia ejercida sobre los pueblos que habitaron nuestro actual estado fue la zapoteca, que estableció su principal centro en Monte Albán, Oaxaca. La familia era la unidad básica; tenían una división del trabajo definida; la sociedad, la política y la religión las regía un señor, el cual era auxiliado por sacerdotes.

Su estructura era ideográfica, es decir, representaban las ideas a través de figuras; poseían un calendario ceremonial, otro solar y desarrollaron notablemente la astronomía. También incursionaron en los terrenos de la escultura, la arquitectura y la cerámica. Su comercio e influencia llegó a nuestra entidad, como lo demuestra la cerámica que se encontró en Calipán, Tepeaca, Amalucán, en la

Cantonac, casa del sol

pirámide de Tepalcayo en Totimehuacan, y en San Juan Ixcaquixtla en donde, además, se halló una tumba de estilo zapoteca.

Entre los siglos I y III, se estableció un grupo en la parte del actual estado de Veracruz y en la Sierra Norte de Puebla: el pueblo totonaca. Se sabe que procedían del Altiplano de México y tenían una gran influencia cultural teotihuacana. Fundaron varios centros ceremoniales, sobresaliendo de entre ellos, el Tajín, en Veracruz. Su templo principal tiene una base cuadrada, de 35 metros por lado y siete cuerpos, que alcanzan 25 m de altura.

Por el lado oriente se encuentra la escalera con 10 m de ancho. Tiene techos planos volados formando una losa maciza; grecas y 365 nichos que son los días del año, lo cual indica que los totonacas poseían conocimientos matemáticos y astronómicos. También se han hallado relieves que representan personas, animales, sacerdotes, niños y bailes que nos señalan la vida y costumbres de este pueblo.

Yohualichan: casa de la noche

Desconocemos las causas por las cuales desapareció la cultura totonaca en el siglo XII; pero algunos autores mencionan que fue por la invasión de pueblos procedentes del norte de México.

En nuestro estado, los totonacas comerciaron con San Juan Ixcaquixtla; en este lugar se encontraron yugos, esculturas en forma de herraduras. Pero el sitio principal donde se asentaron fue en Yohualichan (casa de la noche), en el municipio de Cuetzalan del Progreso, entre los años 300 a 600.

El centro ceremonial tiene una plaza rectangular formada por cinco templos. A un costado, se encuentra el templo principal el cual presenta, en su mayor parte, las mismas características que el del Tajín. Consta de seis cuerpos y en la parte superior, hay restos de una construcción. Está adornado con nichos, techos volados, grecas, estuco y pintura de color rojo. En la parte posterior del templo, se localiza un juego de pelota en forma de "I", limitado por basamentos a los costados de los extremos. También junto a éste se descubrió una tumba, cubierta por un bloque de piedra de una sola pieza.

Respecto a los cuatro templos sobrantes, dos son parecidos al principal, pero más chicos: Uno de ellos, que hace ángulo de 90° con el principal, de cinco cuerpos; y el otro de tres, situados en los extremos a lo largo de la plaza. Y por último los otros dos, que no han sido explorados, a los costados.

Popolocas históricos

En los primeros años del período teotihuacano, se estableció en una porción de nuestro territorio un grupo minoritario, al que se le ha nombrado popolocas históricos. El sur de Puebla, el norte de Oaxaca y el este de Guerrero fueron la zona de su ubicación. Pero el punto central de reunión se situaba en el triángulo que forman, hoy día, las ciudades de Acatlán, Tepeaca y Tehuacán.

La cultura de los pobladores se enriqueció con la influencia de Teotihuacan, a tal grado que la cerámica, a la que se le ha llamado Ñuñuma y Ñuiñe, producida por los popolocas históricos se comerciaba con una gran parte del oeste de México y Centroamérica.

Sabemos que los popolocas históricos tenían ciudades-estados y centros urbanos, frecuentemente fortificados. La economía se basó en la agricultura, el comercio y la producción de sal; en la elaboración de artículos de algodón y en la fabricación de varias herramientas de piedra. La organización social y política estaba dividida y se fue acentuando hasta formar un grupo poseedor de conocimientos religiosos y científicos que detentaba el poder político y militar. Los cargos de menor importancia los ocupaba la gente del pueblo, por medio de un sistema de rotación del pueblo.

Tenían varias técnicas de irrigación; entre ellas los canales de riego, represas, acueductos y cultivos por terrazas, con lo que se lograba una producción más intensa en la agricultura. También tuvieron una escritura basada en jeroglíficos, que ya se ha ido descifrando y hacen referencia a la religión, al sistema calendárico y a las ceremonias o rituales.

De sus construcciones, hay varias al sur de la entidad: La de Tehuacán

Popolocas, herederos del pasado

El Viejo; los grandes cúes o montículos de San Juan Ixcaquixtla, en donde además había esculturas que representaban a sus dioses; las de Zoquiaque, Atoyatempan, Santa Clara Huitziltepec, San Andrés Mimiahuapan, Tetelzingo, la fortaleza de Cuthá y San José de Gracia, en el municipio de Tepeji de Rodríguez, donde hay una pirámide cónica de ocho cuerpos.

Un ejemplo de organización de los popolocas históricos lo fue Tepeji de Rodríguez. Aquí hubo cuatro áreas de asentamiento; es decir, que la ciudad se formó de otras tantas comunidades, distribuyéndose entre ellas el poder político. No tenían una organización militar con personal especializado. Parece ser que el símbolo utilizado para representarse era el ciervo, pues cuenta una leyenda que de una mujer y de un ciervo nació el dirigente de los popolocas-históricos llamado Mazatzin, que quiere decir "pequeño ciervo". Asimismo, en San Francisco Otlaltepec se relata la misma leyenda.

Su decadencia, a finales del siglo IX se debió, posiblemente, a que la tierra cultivable se erosionó, por lo cual se quedaron sin el principal sustento; a las luchas internas entre el pueblo y a la llegada de nuevos grupos con mejor organización política y militar, que comenzaron a dominar la zona.

Con la decadencia, los popolocas históricos que poseían el poder y los conocimientos se convirtieron en una minoría especializada, y tenían como deber principal, como artesanos especialistas, el complacer las necesidades de aquellos grupos que dominaban, ahora, el territorio poblano.

De las edificaciones de Tepeji el Viejo queda muy poco y en su mayor parte, están destruídas por la acción del tiempo. Las construcciones se encuentran en la parte alta de una montaña. Las laderas, que se dividieron en ocho cuerpos, se recubrieron con piedras, con el fin de que sirviera como muralla para defender la ciudad y de que diera la apariencia de ser una pirámide.

En la cima se ven restos de templos, habitaciones y otras construcciones, algunas de ellas asentadas al pie de las laderas. El material que se utilizó para edificar fue la piedra labrada, en forma rectangular y acomodada como si fuera ladrillo. En las plazas se han encontrado varias tumbas, en las que hay esculturas, como la que representa a Xipe Totec que mide un metro 20 cm de alto y tiene orificios en los brazos y piernas. En uno de los entierros se halló a un personaje que tiene varias ofrendas, como cráneos y cerámica; también el lugar donde estaba enterrado tenía varias capas de cinabrio (mineral de color rojo con el que se hacía pintura).

El capitán del ejército español Guillermo Dupaix, que vino a Nueva España en 1804, llamá la atención sobre la división en ocho cuerpos de las laderas, al mencionar que si hubiera un ataque y los asaltantes se apoderaran del primer cuerpo, quedaban dominados por los defensores que ocupaban el cuerpo superior. De esta manera se presentaba una mejor defensa según fuera el mayor número de pisos, por lo que se debía considerar a Tepexi el Viejo como una gran plaza fortificada.

Una fortaleza de La Huasteca

A finales del siglo IX, un grupo denominado huastecos se estableció al este de San Luis Potosí en el extremo norte de Veracruz, una pequeña porción del territorio norte de Hidalgo, al sur de Tamaulipas, norte de Querétaro y una parte del norte de Puebla en los municipios de Francisco Z. Mena, antes Metlaltoyuca, Pantepec, Jalpan, Venustiano Carranza; Tlaxco y una pequeña porción norte de Tlacuilitepec y Xilotepec de Juárez.

Por su lenguaje y sus rasgos físicos, se cree que los huastecos se originaron de un grupo sedentario maya que llegó a la costa del Golfo de México. El nombre de huastecos probablemente es posterior y debido a un caudillo llamado Cuextécatl. Habitaban Cuextlán o Huaxtecapan. Los huastecos, cuextecos o toveyos, estaban organizados en señoríos independientes entre sí, que sólo se unían y peleaban juntos en caso de peligro o de guerra. Los gobernaba un señor o cacique a su muerte, el hijo mayor heredaba el señorío con sus tierras.

Tenían la costumbre de tatuarse y adornarse el cuerpo con pinturas y objetos. Empleaban hachas de piedra, cinceles, cuchillos, navajas de obsidiana, raspadores y puntas de hueso para ayudarse en las labores de la vida diaria. Eran agricultores y tenían una religión, de la cual poco se sabe. Se conocen dos dioses de origen huasteco: Pantécatl, diosa del pulque, y Tlaxoltéotl, diosa de la fertilidad. Esta última parece ser la más importante, de acuerdo con el gran número de representaciones que se han encontrado de ella.

En nuestro territorio, los lugares de asentamiento fueron: Zanatepec, Pantepec, Zolintla, San Juan, San Rafael y Ameluca, en lo que fue el viejo pueblo de Huitzilpopocatlán y Atlán; Peña Colorada, y en la mesa de Metlaltoyuca.

De todos esos lugares, el que sobresale por su importancia es la mesa de Metlaltoyuca, ya que aquí se encuentra un poblado prehispánico. A la palabra Metlaltoyuca se le han dado dos significados: uno es "lugar fortificado de piedras macizas", que proviene de *metlatl*, piedra maciza, *tlatoctia*, fortificar y *yocan*, lugar. El otro es "lugar de piedras de metate", derivado de *metlatl*, metate, *tetl*, piedra y *yocan*, lugar.

La zona arqueológica ocupa varios kilómetros de extensión. Por el lado norte, cerca de la mesa de Coroneles, hay una muralla de tierra de 400 m de largo, por cuatro metros de altura y 15 m de base. En su interior se halla otra muralla más pequeña y una trinchera. Lo mismo se encuentra al lado opuesto de la mesa, por donde pasa el camino a Pantepec. Al noroeste hay un edificio de paredes verticales, que hacía las veces de muro, único punto por donde se podía llegar a invadir el poblado.

En el interior de la fortaleza se hallan varias pirámides destruídas, de diferentes alturas, que servían como adoratorios y para la defensa. También existen otros templos, juegos de pelota, salas y estanques. Aproximadamente, a la distancia de

cuatro mil metros de la muralla norte, se encuentra la pirámide principal: tiene 40 m por lado y 12 m de altura; está formada por seis cuerpos de dos metros cada uno y en la cima quedan restos del templo o *teocalli*.

La construcción de las pirámides se hizo con piedra arsénica, labrada en forma de paralelepípedo o prisma regular; se juntaron con lodo y las construcciones se recubrieron con una mezcla de varios elementos de tres cm de espesor. Se sabe que algunas edificaciones estuvieron pintadas con jeroglifos. Además, se encontraron dos esculturas hechas con piedra arenisca. Una representa la cara de un hombre con los ojos cerrados y el cuerpo parece estar cubierto con tiras de tela. La otra aparenta ser un hombre bailando, es decir, en posisión flexionada y con los brazos cruzados, tocando la cintura,con la mano izquierda.

Se supone que las murallas de las ruinas de la mesa de Metlaltoyuca sirvieron para defender la ciudad de ataques de otros poblados o de nuevos grupos, que llegaron a esos lugares con el fin de dominar la Huasteca.

Otro resto arqueológico de la cultura huasteca fue un teponaztli, instrumento musical de percusión tallado en madera, que se encontró en Xicotepec, hoy Villa Juárez, Distrito de Huauchinango. Tiene la forma de mono con la cabeza volteada hacia la derecha, los brazos y las piernas encogidos y la cola enroscada. Lleva orejeras y en los ojos, incrustaciones. Al lado derecho se representa a un águila herida o muerta por una flecha que la atraviesa y un jeroglífo. Arriba del ave se distinguen tres hojas de nopal con tunas. La base que sirve de soporte es también de madera y tiene varios motivos labrados.

Lugar de reunión en el tiempo.

Cholula significa "lugar donde se salta o se huye". No se sabe de dónde procedieron sus primeros pobladores, pero una leyenda cuenta que vinieron de un lugar llamado Chicomoztoc (lugar de las siete cuevas). A los habitantes de este pueblo se les llamó cholultecas o cholulas y recibieron la influencia de los olmecas. La población también tuvo un gran contacto con los teotihuacanos, ya que un grupo de éstos se estableció en Cholula entre el año 300 y el 600 dNE, habitándola hasta fines del siglo XVIII. Esta ciudad alcanzó a figurar como la segunda de México después de Teotihuacan, pues estas dos capitales ejercían el dominio político y geográfico de la Cuenca de México y del Valle de Puebla. Aquí existió un importante centro artesanal que producía una cerámica delgada de color naranja, tipo teotihuacano. Ésta se ha encontrado en varias partes del país, demostrándose así, que existían relaciones comerciales entre Cholula y otros grupos culturales.

Con la decadencia de Teotihuacan, un grupo al que se le ha llamado olmecas históricos (para diferenciarlos de aquellos olmecas de los años 1300 al 200 aNE) llegó al Valle de Puebla. Posiblemente provenía de la parte norte del actual estado de Oaxaca y del sur de lo que hoy es nuestra entidad. Este grupo estaba formado por gente que hablaba mixteco, chocho-popoloca y nahua. Combatieron a los teotihuacanos de Cholula hasta lograr expulsarlos; tuvieron bajo su dominio a la ciudad cerca de 500 años y extendieron su hegemonía e influencia a la Altiplanicie de Puebla-Tlaxcala; al este, hasta el

Cholula, punto de reunión cultural

centro de Veracruz (Zempoala y Cotaxtla) en la zona del Cerro de las Mesas y la región de los Tuxtlas y al sur, hasta el Valle de Oaxaca.

La cultura que crearon los olmecas históricos se llamó poblano-tlaxcalteca o cholulteca, porque Cholula fue su centro político y cultural. Su cerámica fue policroma, es decir, de varios colores como el rojo, negro y anaranjado y presentaba una decoración sencilla, característica de la región mixteca de Oaxaca, lugar con el que tenían relaciones comerciales. A este tipo de cerámica se la ha denominado poblano-mixteca o cholulteca-mixteco.

En tanto que los olmecas históricos mantenían su poder en las zonas mencionadas, en el siglo X, aproximadamente, un grupo que provenía del norte del país, llamado tolteca-chichimeca, llegó a la Cuenca de México, conducido por Mixcóatl. Este grupo inició la conquista de los pueblos situados a la orilla del Gran Lago, extendiendo su poderío hasta el norte de Guerrero, Morelos y Oaxaca. Cuenta una leyenda que del jefe indígena Mixcóatl y de una mujer llamada Chimalma nació Ce Acátl Topiltzin Quetzalcóatl, quien fundó y gobernó Tula (en el actual estado de Hidalgo).

Bajo su mando, los toltecas fueron un pueblo hegemónico y lograron dominar un extenso territorio. La ciudad fue un centro cultural que comerciaba con varios grupos prehispánicos.

Los toltecas trataron de conquistar a los cholultecas; pero al no poder dominarlos, abandonaron la lucha. A mediados del siglo XII, posiblemente fuertes luchas por el poder político, militar y religioso entre la población dio por resultado la caída y el abandono de Tula. Los toltecas se dispersaron por diversos lugares: la Cuenca de México, Oaxaca, Yucatán, Guatemala, Michoacán y Guerrero; una parte se estableció en Cholula.

Sitio de intercambio comercial

Ahí, los toltecas fueron sometidos por los olmecas históricos casi un siglo, hasta que en 1292, aproximadamente, se rebelaron logrando dominar a sus conquistadores; se convirtió en pueblo hegemónico el de Cholula. De esta manera, se impuso la organización política, económica, social y religiosa tolteca. Así, el gobierno fue teocrático-militar, es decir, algunos militares fungían como sacerdotes y jefes de la población. La economía se basaba en la agricultura y en el tributo de los pueblos dominados. Se introdujo el culto a Quetzalcóatl. Se intensificaron las relaciones comerciales con los mixtecos; ejemplo de ello es la gran cantidad de cerámica policroma.

Los toltecas de Cholula, con la ayuda de grupos chichimecas que provenían del norte, consiguieron dominar el territorio poblano donde se asentaban los tepehuas. Los chichimecas, como recompensa a su servicio, recibieron tierras al sur de la actual Ciudad de Puebla y fundaron Cuautinchan a principios del siglo XIV.

El nombre tepehua quiere decir "dueño del cerro o que vive en el cerro". Algunas de las zonas más importantes donde habitaron lo fueron: Tlematepeua, Tezcatepeua, Tlequaztepeua en Veracruz y Tzanatepeua y Tecollotepeua en Puebla, es decir, en los municipios de Huauchinango, Pahuatlán,

Cholula, importante centro comercial

La gran pirámide de Cholula

Jalpan, Pantepec y Francisco Z. Mena.

También un grupo de chichimecas al mando de Nopaltzin que habitaron en Tenayuca, en el actual estado de México llegaron a territorio poblano. Fundaron poblaciones en los distritos de Huauchinango, Zacatlán y Cuetzalan. Pero hacia 1350, un grupo otomí del centro de México, al que los tepehuas llamaron "flechadores de pájaros", llegó a refugiarse en territorio tepehua. Posteriormente, Quinatzin, señor de Texcoco, en el estado de México, conquistó las zonas tepehua y otomí.

Para entonces, un grupo nombrado acolhua que provenía del norte de México llegó al valle poblano y se estableció en Huejotzingo. Su organización teocrático-militar les permitió asentarse y combatir los intentos de conquista de los toltecas de Cholula. Finalmente, los acolhuas derrotaron a sus enemigos en 1359.

De esta forma, terminó la hegemonía de los pueblos que habitaron Cholula durante varios siglos y surgió el señorío de Huejotzingo.

La gran pirámide de Cholula, llamada Tlamachihualtépetl o Cerro hecho a mano, es una de las manifestaciones culturales de los grupos que habitaron la región: cholultecas, teotihuacanos, olmecas históricos y toltecas.

La construcción fue llevada a cabo paulatinamente, es decir, fue el resultado de superposiciones de

También la influencia maya se hizo presente

plataformas y edificios que construyeron los distintos pueblos que se asentaron en Cholula. Así, la pirámide se compuso de otras tantas, con habitaciones, patios, escaleras y altares. Con esta manera de edificar, la pirámide aumentaba de tamaño, hasta obtener la dimensión actual. En ella, las primeras construcciones del interior tienen características teotihuacanas como el talud, el tablero y las pinturas murales que representan insectos pintados de rojo, amarillo y negro llamada los "Chapulines". También se pintó una escena en la que aparecen personajes bebiendo pulque, por lo que se le conoce como "Los bebedores"; éstos están sentados en una banca; portan una faja en la cintura, tocados o penachos, máscaras, orejeras y collares. Las construcciones ocultas estuvieron decoradas con labrados y pintadas de rojo.

Las distintas edificaciones tenían enormes patios en los que había altares y plataformas con los labrados de serpientes emplumadas, signo de Quetzalcóatl.

Además se descubrieron una gran cantidad de objetos de cerámica de los diferentes grupos mencionados; varios entierros en los que el esqueleto guarda una posición flexionada, descansando sobre uno de los costados. Los entierros se efectuaban bajo los pisos de patios y habitaciones, con ofrendas de vasijas.

La pirámide de Cholula

"En esta ciudad no hay más fortaleza que un cerro antiquísimo que está dentro de ella, hecho a mano, todo de adobe, que antiguamente estaba hecho en redondo y ahora con las cuadras de las calles está cuadrado. Tiene el pedestal de perímetro dos mil cuatrocientos pasos comunes: tiene de alto este pedestal cuarenta varas (cada vara equivale a .836 m) encima del cual pueden caber diez mil personas, después va subiendo el cerro en redondo. De en medio de este pedestal otras cuarenta varas, de manera que todo el alto son de ochenta varas. A la subida del cual puede subir un hombre a caballo: en lo alto de él está una placeta muy llana en que pueden caber mil hombres, y en medio de esta placeta está puesta una cruz grande de madera, con su pie y gradas, hechas de cal y cantera. En el propio lugar que en tiempo de su gentilidad (antes de la conquista) estuvo el (dios) Chiconauhquianitl como está dicho. En el cerro que hace esta plaza, se descubre un cimiento de piedras que parece haber sido de algún pretil o reparo que allí estuviese hecho. Este es el cerro tan nombrado y celebrado así por haberse hecho solamente para asiento de aquel (dios), como por ser una fábrica de tanta grandeza. . ."

Gabriel de Rojas, 1581.

Los señoríos independientes

Después de que los huejotzingas derrotaron a los toltecas de Cholula, iniciaron una serie de alianzas con otros pueblos hasta convertirse en el poderoso señorío del Valle de Tlaxcala-Puebla. Sus límites abarcaron por el norte, Chiautla, Tepetlachco y Tepetzinco; por el oeste, la Sierra Nevada; por el sur, Atlixco y Toltzinco; por el este, lo señoríos de Cholula y Tlaxcala. Algunos pueblos dentro del territorio de Huejotzingo eran: Tetzmolihuacan, Iztaccuixtla, Huitzilhuacan, Tepetlaxco, Tetzmoloacan, Teotlatzinco, Tepetzinco, Ocotepec, Tlamacozquicac, Altomoyahuacan, Zecalacoyocan, Itzcalpan, entre otro. El gobierno de este señorío era teocrático-militar. Adoraban a Camaxtli, deidad de la guerra y dios supremo. Otro de sus dioses era Tláloc, al que atribuían el poder de hacer llover.

Cerca del señorío de Huejotzingo se encontraba el de Tlaxcala, fundado por grupos provenientes del norte llamados chichimecas, a los que conocemos como tlaxcaltecas. Dominaron a los antiguos pobladores de la zona y formaron el señorío de Tlaxcala

Tezozómoc pactó con los tlaxcaltecas

compuesto, a su vez, de cuatro señoríos: Tlaxcala o Tepeticpac, Ocotelolco, Tizatlán y Quiahuiztlán.

El poderío de Tlaxcala no era tan grande como el de Huejotzingo; de ahí que sus habitantes entablaran relaciones amistosas con este último. Para entonces, uno de los tantos grupos chichimecas que se establecieron en la Cuenca de México, había fundado el señorío tepaneca en Azcapotzalco, Distrito Federal. Su máximo representante fue el señor Tezozómoc, quien logró dominar la Cuenca de México.

Una de sus más importantes conquistas fue la del señorío de Culhuacán (Texcoco), lugar del que se apoderó en 1418 al asesinar al señor Ixtlilxóchitl. el sucesor de éste, fue Nezahualcóyotl, para no ser asesinado se refugió en Atlancatepec, Tliliuhquitepec, Tlaxcala, Huejotzingo y otros lugares del lago; estableció relaciones con dichos pueblos.

Por otro lado, Tezozómoc no pudo conquistar el Valle de Puebla-Tlaxcala, por lo que prefirió pactar con ellos.

A la muerte del señor de Azcapotzalco en 1427, uno de sus hijos, Maxtla, usurpó el poder, por lo que varios pueblos conquistados se rebelaron. Nezahualcóyotl que se encontraba en rebelión, contó con

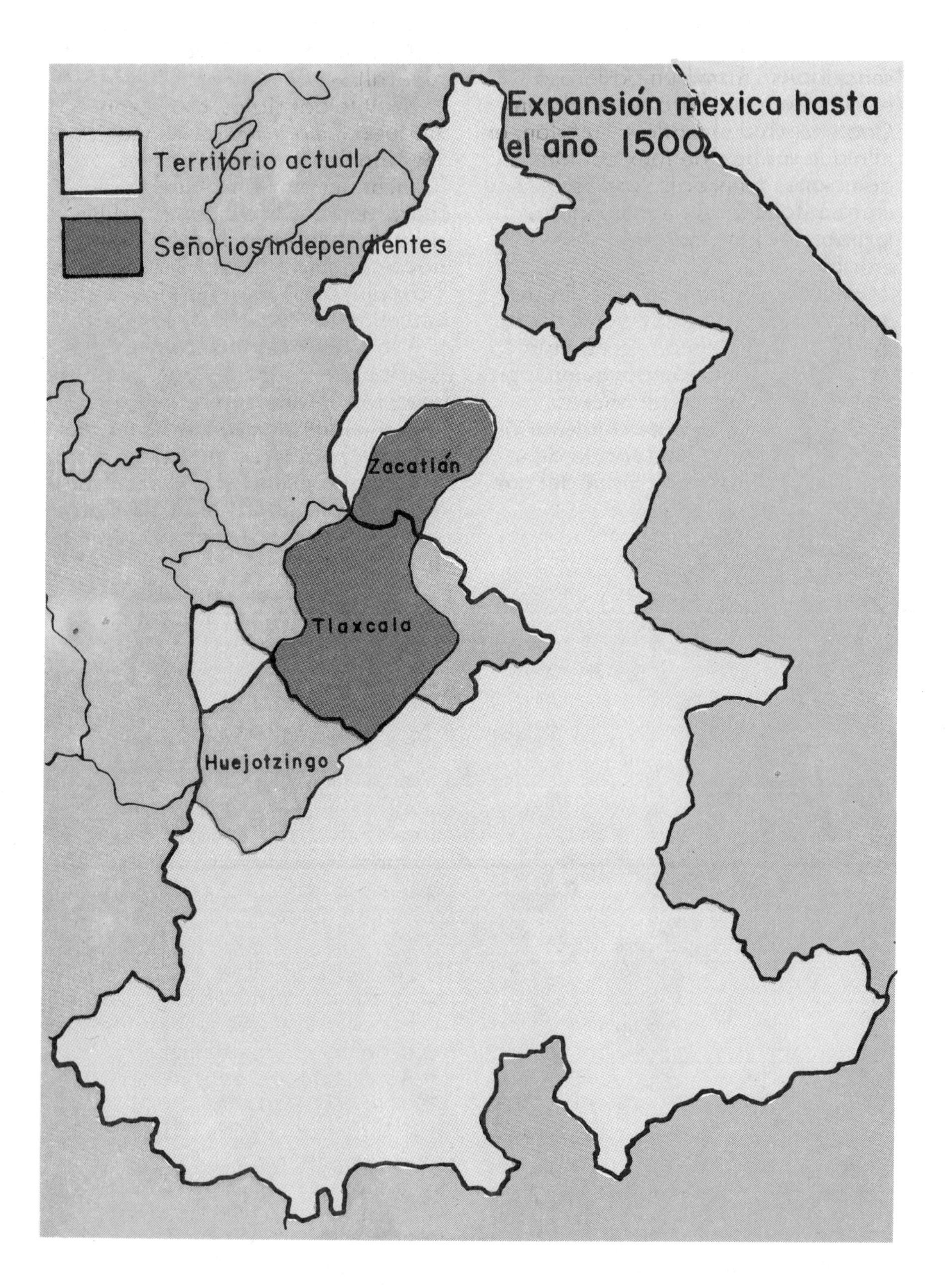
Expansión mexica hasta el año 1500
Territorio actual
Señoríos independientes
Zacatlán
Tlaxcala
Huejotzingo

la ayuda de tlaxcaltecas y huejotzingas para recuperar su señorío. Así, formó un poderoso ejército y se apoderó de Acolman, Coatlinchan, Huexotla y Tultitlán, en el actual estado de México. Más adelante, Nezahualcóyotl se unió con otros pueblos de la cuenca y logró vencer a Maxtla y a sus ejércitos.

Hagamos notar que en la guerra contra los tepanecas, aparte de los pueblos mencionados, también ayudaron los señoríos de Tlatlauhquitepec y Zacatlán.

Se conoce poco de estos señoríos, pero se sabe que Tlatlauhquitepec se localizaba entre Tlaxcala, Puebla e Hidalgo. Su situación política frente a otros señoríos era de independencia. El territorio de Zacatlán era pequeño; la *Relación de Zacatlán* menciona que los indígenas de este lugar formaban un señorío que no estaba dominado ni era tributario como otros pueblos. A veces, daban regalos a otras poblaciones y señoríos para mostrar su amistad.

Una vez que los de Azcapotzalco fueron derrotados, tres pueblos de la Cuenca de México: acolhuas de Texcoco, tepanecas de Tacuba y mexicas de Tenochtitlan, se unieron en la llamada Triple Alianza para dominar el territorio. De estos tres pueblos, los mexicas poco a poco sobresalieron y se impusieron política y militarmente sobre sus aliados.

Los mexicas fue otro grupo chichimeca que provenía del norte del país. Llegó a la Cuenca de México en el siglo XII. Se establecieron en varios lugares como Tula (Hidalgo), Zumpango y Cuautitlán (en el estado de México) y Chapultepec (en el Distrito Federal).

Durante dos siglos, quedaron sujetos a las principales poblaciones del lago, hasta que fundaron Tenochtitlan en una pequeña isla. Lograron convertirse, por medio de alianzas y conquistas, en el señorío más poderoso.

Los primeros señores de Tenochtitlan iniciaron la dominación de la Cuenca de México como guerreros, bajo las órdenes de Tezozómoc. Más tarde, cuando lograron independizarse y ejercer un poder hegemónico, sometieron a los pueblos del lago y a los actuales estados de Veracruz, Hidalgo, Morelos, parte de Guerrero, Oaxaca, las costas de Chiapas y todo Puebla. Su economía tenía como base la agricultura. Las tierras cultivables otorgadas por el estado se dividían en dos sectores: el de las reservadas al pueblo y con propiedad comunal; la de los gobernantes, de carácter privado. La sociedad estaba dividida en gobernantes, sacerdotes, comerciantes, agricultores, artesanos y esclavos. La organización política era teocrático-militar.

La religión fue esencial para los mexicas, tanto que su vida se organizaba a partir de principios religiosos, en los que se manifestaba la adoración de los elementos naturales, considerados dioses.

El comercio era parte de la economía, pero también tenía funciones políticas y militares; esto es, que los comerciantes servían como espías y embajadores.

Dominación mexica

Los pueblos de la Triple Alianza después de organizarse, iniciaron una serie de conquistas dirigidas, principalmente, por los mexicas. Éstos, bajo el reinado de Izcóatl (1427-1440), conquistaron las poblaciones del Lago de México, parte del Valle de Morelos y el sur de Puebla. En 1438, se apoderaron de Cuauhtlinchan y Huaquechula y extendieron su dominio hasta Iztocan (hoy Izúcar de Matamoros). De esta manera, interferían en el territorio que estaba bajo la influencia de Huejotzingo, lo que posteriormente traería consigo guerras entre los dos señoríos. A Izcóatl le sucedió Moctezuma Ilhuicamina (1440-1469), quien se apoderó de parte de los actuales estados de Puebla, México, Hidalgo, Querétaro y Guerrero.

Por otro lado, el señor de Texcoco, Nezahualcóyotl, dominó en 1450 a Tulancingo, Acaxochitlán, (en el actual estado de Hidalgo) Huauchinango y Xicotepec (hoy Villa Juárez); es decir, la parte norte de nuestro estado hasta llegar a la costa norte de Veracruz, cercando de esta forma los señoríos del Valle de Puebla-Tlaxcala.

Para entonces, los campos de cultivo no habían producido la suficiente cantidad de granos para sostener a la población, por lo que sobrevino el hambre y según las costumbres religiosas de los mexicas, huejotzingas y tlaxcaltecas, se estableció entre los tres señoríos la Xochiyaóyotl o Guerras Floridas.

Ahuízotl ordenó sofocar las rebeliones de huejotzingas

tl eran sacrificados a los dioses

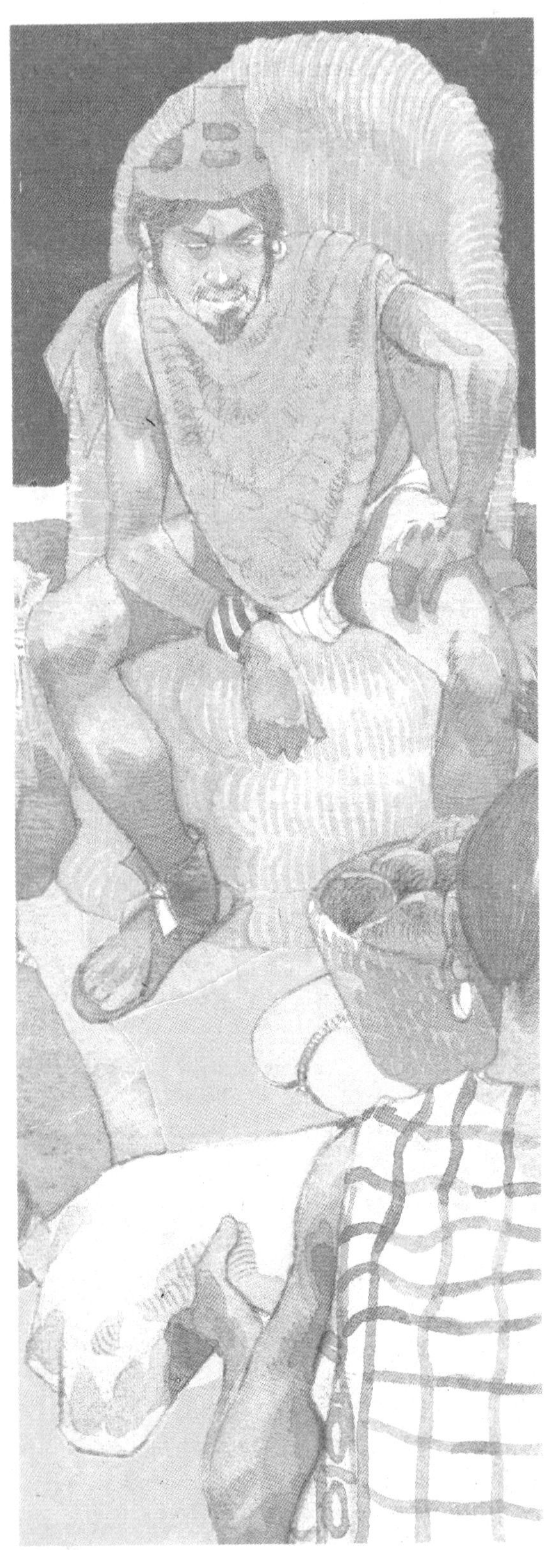

Calpixque mexica cobra tributo

A través de estas luchas verificadas cada cierto tiempo, eran obtenidos prisioneros para sacrificarlos en honor de sus respectivas deidades, sin hacer ninguna conquista territorial.

Los sacrificios tenían un carácter profundamente religioso, ya que se creía que al ofrecer la vida de una persona a algún dios, éste ayudaría al pueblo para obtener los favores que se le invocaban. Así, creían lograr la fertilidad de la tierra o los triunfos en la guerra.

La conquista de Chalco, estado de México, pueblo aliado de Huejotzingo, acentuó las diferencias entre los dos señoríos, pues los huejotzingas perdieron su defensa por el sur.

Los mexicas ampliaban su señorío con cada uno de sus señores. En 1463, los mexicas tomaron Cotaxtla y poco después Orizaba, Veracruz, bajo la influencia de la meseta poblana. Durante el reinado de Ahuizotl, se dominaron amplias zonas de Chicontepec, situado entre Puebla, Hidalgo y Veracruz. Con Moctezuma Xocoyotzin, el señorío se extendió a Veracruz, Puebla, Hidalgo, México, Morelos, Guerrero, Oaxaca y Chiapas. Todo el territorio poblano quedó en manos de los mexicas, quienes respetaron algunos señoríos con el fin de que no surgiera el desorden, y pudieran gobernar fácilmente su vasto territorio. Impusieron calpixques, cobradores de tributos, de tal suerte que dominaron el territorio política y económicamente.

Así, los pueblos de la Sierra de Puebla, Tlatlauquitepec, Huauchinango, Xocotepec, Pahuatlán y sus vecinos, como los de

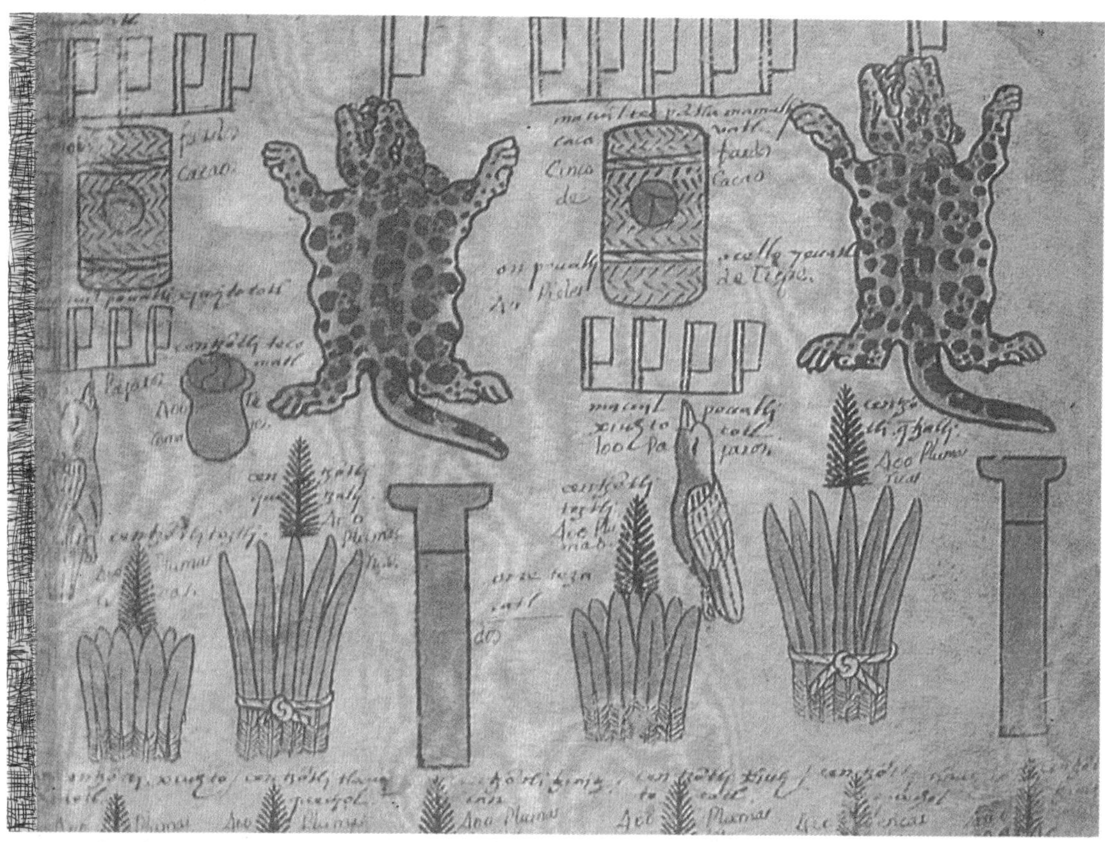

Registro de tributos

Ixtausmartitlán, Tlalxocoapan (San Juan de los Llanos o Libres) y otros, así como los del centro: Tepeaca, Tecali, Quecholac, Tecamachalco, Totimehuacán, Cuauhtinchan; y en el sur, los de Chiautla, Chietla, Izúcar, Tehuacán, Zapotitlán, Coxcatlán y otros, desde mediados del siglo XV pasaron a formar parte de un vasto señorío que les impuso su régimen político, económico y social y les transmitieron formas de vida y cultura diferentes. Sin embargo, algunas de las culturas de los valles y sierras poblanas conservaron sus tradiciones, su lengua, religión y valores materiales y espirituales.

Respecto a las relaciones entre Huejotzingo y Cholula con los mexicas, existen tres versiones. Una de ellas es que formaron parte de los pueblos conquistados; otra, que por medio de alianzas, primero con los tlaxcaltecas en contra de los mexicas y luego con éstos en contra de los guerreros de Tlaxcala mantuvieron una semindependencia; y la última, que los mexicas no conquistaron los señoríos de Huejotzingo y Cholula, porque era una región con pocos recursos económicos en la que no existía la suficiente economía para pedir tributo. Además, era una zona en la que aun si se establecían guarniciones, sería muy difícil tenerla dominada por los constantes ataques de los tlaxcaltecas y los levantamientos de los chalcas que se habían refugiado en Huejotzingo y eran hostiles a los mexicas.

Desarrollo prehispánico

Los grupos culturales de nuestra entidad crearon diversas técnicas. De esta manera fabricaron templos, edificios civiles y habitaciones de adobe y piedra labrada, utilizando herramientas para el aplanado de muros y pisos. Los edificios de Cholula revelan cuán diestros fueron en la ingeniería y en la arquitectura. Labraban la piedra y la madera con herramientas de piedra y trabajaban las piedras finas.

Uno de los materiales del que dispusieron los artífices prehispánicos poblanos para la construcción, fue el alabastro (piedra parecida al mármol). En las minas de donde se obtenía había un pueblo al que, posiblemente por extraer la piedra de este lugar, lo llamaron Tecali (*tecalli*, de *tetl*, piedra y *calli*, casa; es decir "la casa de piedra"). De aquí que el alabastro también se llamara tecali. Este lo utilizaron los olmecas, totonacas, teotihuacanos y mexicas para las esculturas, orfebrería, máscaras y adornos.

Uno de los mejores ejemplos donde se trabajó el tecali fue en Teotihuacan. Así, en el Palacio de Quetzalpapálotl (de pájaros y mariposas) se hallaron varios objetos hechos de este material: un jaguar de color verde claro y con dibujos en relieve; una loza cuadrangular de color blanco y una

El ixtle también se usó para elaborar zapatos

Algunos productos vegetales se emplearon en la construcción de casas

verde, con un personaje esculpido, cuyas manos representan las garras de tigre.

Levantaban sus templos sobre montículos; muchos de ellos orientados por medio de los astros. Sus casas, generalmente, eran de adobe o bajareque, con techos de palma y zacate sostenidas en cimientos de piedra. Utilizaron el algodón y fibras de diversas plantas, como el ixtle, para tejer sus vestidos; eran magníficos tejedores de cestos. Cargaban sus objetos en cacaxtles (canastos) formados de ramas y cuerdas; tenían escaso mobiliario de madera. Los de algunas provincias como Cholula, eran hábiles ceramistas y elaboraban prodigiosas piezas que son orgullo de la cerámica prehispánica. Conocían tintes minerales y vegetales con los que pintaban sus mantas. Recogían plumas de diversas aves con las que recubrían escudos y mantas, y también las empleaban en los tocados de los guerreros y sacerdotes. Asimismo cazaban tigre, jaguar y puma, de cuyas pieles hacían trajes que utilizaban en la guerra.

No sólo poseían técnicas adelantadas en muchos aspectos, sino que también, tenían amplios conocimientos científicos producto de la observación y la reflexión de siglos. Conocían el movimiento de los astros y el cambio de las estaciones, con lo cual habían elaborado su calendario, tanto el

El xoconoxtle se utiliza como condimento

ritual como el agrícola. Aprovechaban sabiamente los recursos naturales y minerales, cuyas propiedades utilizaban en usos medicinales. Conocían los efectos curativos y tóxicos de plantas y minerales; los indígenas eran bastante diestros en su aplicación.

Con un dominio estricto del mundo vegetal y animal, los indígenas enriquecieron su alimentación aprovechando las proteínas, vitaminas, sales minerales y otros componentes. De este modo, además de consumir maíz, frijol y chile, se alimentaban de numerosos tubérculos o raíces de la yuca, chayote, de diversas clases de camote y de la papa. Las flores de la yuca, del colorín, del frijol y otras, les servían para confeccionar platillos muy variados y tamales. Pitahayas, guayabas, piña, anona, ciruelos diversos, piñones, aguacates, quintoniles, verdolagas, xoconoxtles crudos y sazonados en diversas formas, así como gran variedad de hongos de estación, entre los que sobresalen los riquísimos totolcascatl, contribuían a hacer su dieta rica y variada. Junto con venados, liebres, patos, chichicuilotes, comían perros y numerosos insectos ricos en proteínas como los jumiles y chapulines, tan comunes en las zonas vecinas a La Mixteca y en los valles cálidos.

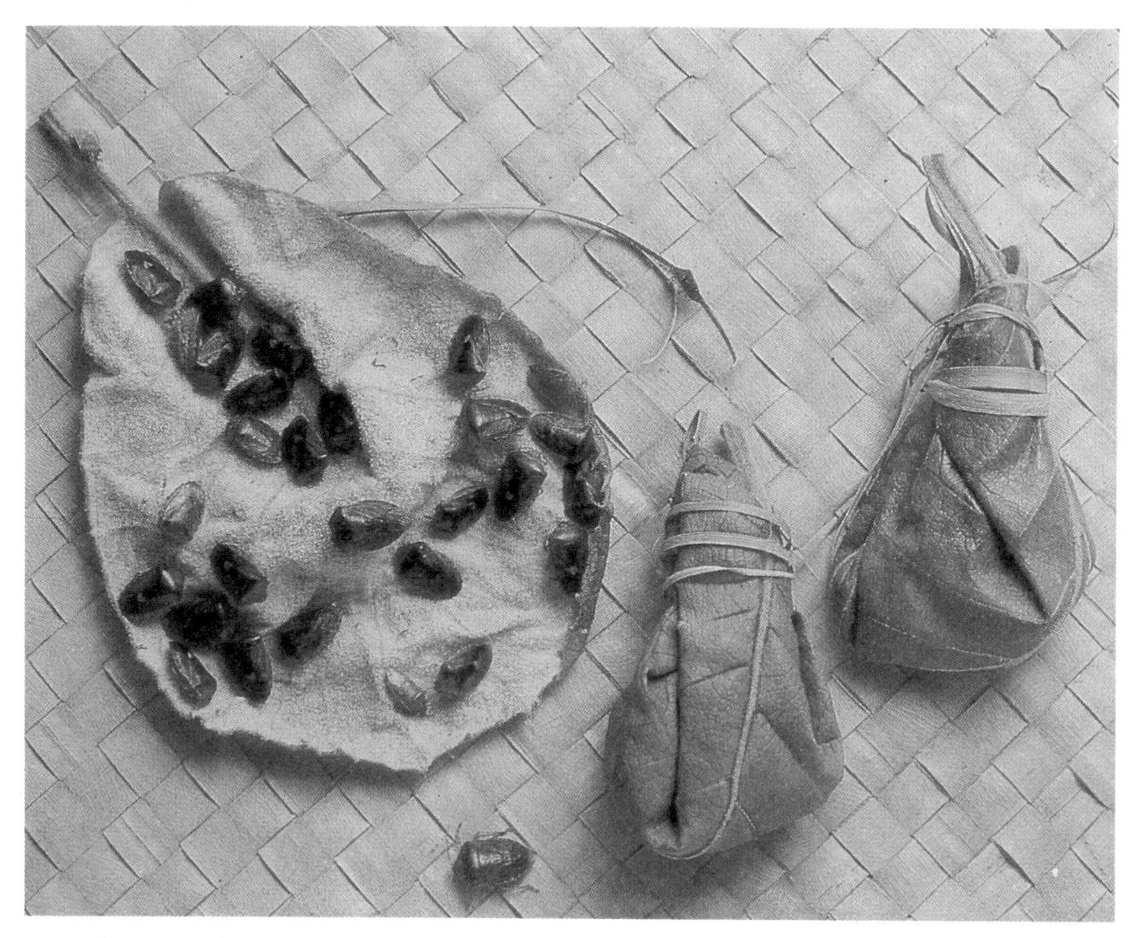

Los jumiles son un alimento rico en proteínas

Conocieron las propiedades de las aguas medicinales, ricas y abundantes en su territorio; también aprovecharon los efectos curativos de las arenas volcánicas, como las que están cerca del lugar llamado Las Derrumbadas.

En fin, herederos de culturas ancestrales muy diversas, los grupos prehispánicos de la zona no sólo conocían los recursos naturales, sino que sabían aprovecharlos.

Sin tener animales de carga y de tiro, ellos mismos transportaban sus objetos y mercancías de un lugar a otro. Utilizaban los caminos del valle poblano-tlaxcalteca para la comunicación e intercambio de los productos de las diversas culturas que se desarrollaron en México. Las rutas comerciales utilizadas por aquel entonces fueron por los Llanos de Apan, en Hidalgo; Huaquechula e Izúcar; Tecamachalco, Tehuacán y las Cumbres de Acutzingo; y por San Juan Ixcaquixtla hacia la región Mixteca y Matlatzinca, en Oaxaca.

Conservaban en cuexcomates el maíz y colgaban en cuerdas el frijol y el chile para secarlos y conservarlos. Usaban el temazcal (baño de vapor) por razones rituales y de higiene.

Por tanto, las condiciones peculiares del Valle de Puebla-Tlaxcala hicieron posible el florecimiento de diversos centros culturales a lo largo de su evolución.

3

El dominio español

Dominación de los pueblos indígenas

Órdenes religiosas

Hoy, una ciudad del siglo XVI

Fundación de Puebla

Nuevas formas de trabajo

Obtención del sustento cotidiano

Las haciendas

División del espacio geográfico

Jurisdicción eclesiástica

La creatividad en la piedra y en la tela

Artesanía de pueblo

Un mosaico de leyendas

Dominación de los pueblos indígenas

Durante los siglos XV y XVI en Europa, gracias a los avances de la ciencia, se inventaron varios aparatos para medir la distancia de las estrellas y tomarlas como guías. También se elaboraron cartas marítimas o mapas y se hicieron mejoras a los barcos; las invenciones permitieron que las embarcaciones se pudieran alejar de las costas y adentrarse en el mar. Esto hizo posible iniciar los viajes de exploración en búsqueda de nuevas rutas comerciales. Así, los europeos descubrieron el Continente Americano en 1492 y emprendieron la conquista y colonización de las nuevas tierras descubiertas.

Para las expediciones de conquista del nuevo continente, se tomó como punto de partida la Isla de Cuba. De ella salieron en 1517 Francisco Hernández de Córdoba, en 1518 Juan de Grijalva y en 1519 Hernán Cortés, quien logró establecer y fundar el primer Ayuntamiento o gobierno español en la población de la Villa Rica de la Vera Cruz, junto al actual Puerto de Veracruz.

Los Llanos del Salado

Cortés se internó en el territorio de Puebla, por los Llanos del Salado, entre el Cofre de Perote y el Pico de Orizaba. En su obra *Cartas de Relación,* relata que después de pasar Ixhuacán, en Veracruz, llegó a un mal país en donde encontraron un poblado, al que llamaron Puerto de la Leña, porque alrededor de un templo había mucha leña cortada y acomodada. También Bernal Díaz del Castillo, en su libro *Historia verdadera de la conquista de Nueva España* nos dice que antes de llegar a Zautla: ". . . hallamos unos caseríos y grandes adoratorios de (dioses) que ya he dicho que se dicen cúes, y tenían grandes rimeros de leña para el servicio de los (dioses) que estaban en aquellos adoratorios".

Al llegar Cortés a Zautla fue recibido por el señor del lugar quien le informó que ellos estaban sujetos al poderío de Tenochtitlan. Los españoles siguieron su camino a Ixtacamaxtitlan, después de tres días de permanencia, Cortés partió hacia Tlaxcala, llegó a Xalacingo en donde se quedaron a descansar y al día siguiente, al salir de los límites del señorío encontraron una gran muralla, hecha de barro. Su extensión era tan grande que iba de una sierra a otra. Se dice, que la muralla la construyeron los de Ixtacamaxtitlan para defenderse de los tlaxcaltecas, pero también se cree que la gente de Tlaxcala la levantó para oponer más resistencia a los mexicas y a sus aliados.

Al pasar del otro lado de la muralla los españoles se hallaron en territorio tlaxcalteca y fueron al encuentro de los cuatro señoríos de Tlaxcala. Al llegar a San Salvador Izompantepec o de los Comales, (Tlaxcala), Xicoténcatl y sus hombres le dieron batalla a los españoles pero éstos los vencieron; ante esta derrota, Xicoténcatl le pidió a Cortés la paz. Los conquistadores fueron llevados a Tizatlán, (Tlaxcala) y hospedados en ese lugar durante algunos días, advirtieron a Cortés que no pasara por Cholula, (ciudad aliada de los mexicas). Éste no hizo caso a la advertencia y se dirigió al señorío cholulteca, siendo recibidos por los señores principales, quienes invitaron a los europeos a alojarse en la ciudad.

Cortés ordenó una matanza en Cholula

Cortés y sus hombres se preparaban para tomar Tenochtitlan

Los conquistadores partieron de Cholula, llegaron a unas casas de Calpan donde les informaron que después de pasar entre el Popocatépetl e Iztaccíhuatl el camino se dividía en dos: uno que iba a Chalco y el otro a Tlalmanalco, el cual era muy difícil de transitar porque había árboles tirados para impedir el paso a los caballos. Escogieron este último y al ascender llegaron a lo que hoy es Paso de Cortés, desde donde admiraron la Cuenca de México, sus ciudades y las lagunas. Al descenso llegaron a Amecameca, luego a Tlalmanalco (los dos poblados en el estado de México) y de aquí por varios poblados hasta Ixtapalapa (en el Distrito Federal) fueron recibidos por Cuitláhuac. Más tarde el 8 de noviembre de 1519 se dirigieron a la capital del señorío mexica, Tenochtitlan, donde a Cortés y su ejército los recibió Moctezuma Xocoyotzin, quien los instaló en el palacio de Axayácatl. Durante una ausencia de Cortés, se llevó a cabo una matanza en el Templo Mayor. Los españoles se refugiaron en el palacio que habitaban e hicieron prisionero al señor mexica. Al poco tiempo Cortés regresó y preparó la salida de la ciudad. Para entonces Moctezuma había muerto. Al huir, fueron atacados por los ejércitos mexicas y el pueblo, al mando de Cuitláhuac, sucesor de Moctezuma. Los españoles huyeron rumbo a Tlaxcala, en donde se instalaron y se prepararon para organizar la toma de Tenochtitlan.

Cortés se preparó con suficientes armas y hombres; la mayoría de ellos pertenecientes a pueblos indígenas sometidos por Tenochtitlan. El primer sitio que conquistaron fue Acatzingo, después Texmelucan, luego Tepeaca, (lugar de tránsito entre la costa del actual Veracruz y Tenochtitlan). Por esta razón, fundaron aquí la segunda población a la que llamaron Segura de la Frontera. En este lugar hicieron una construcción, a la que llamaron "casa de ladrillo", y fue el sitio en donde Cortés escribió al emperador Carlos V la segunda carta de relación, con fecha 30 de octubre de 1520. La villa fue base de operaciones para atacar Zautla, Tecamachalco, Quecholac, Huaquechula e Iztocan (hoy Izúcar de Matamoros), en donde había guarniciones de los mexicas. Cortés regresó a Segura y ordenó a uno de sus capitanes, Gonzalo de Sandoval, apoderase de Zautla. En tanto, otros españoles conquistaron los señoríos que estaban de parte de los mexicas.

El 13 de agosto de 1521, Cortés entró a la Cuenca de México, tomó los principales sitios del lago, se apoderó de Tenochtitlan y Tlatelolco, e hizo prisionero a Cuauhtémoc señor mexica sucesor de Cuitláhuac.

Después de establecerse en Tenochtitlan, los españoles empezaron a dominar y colonizar el territorio, que desde entonces se llamaría Nueva España. Se promovieron expediciones en la búsqueda de nuevas tierras para desarrollar la actividad agrícola, ganadera y sobre todo minera.

Con la Conquista, se destruyó la organización que los grupos prehispánicos lograron alcanzar, los conquistadores impusieron y establecieron nuevas formas de vida, de organización política, social, económica y cultural a través de 300 años de dominación española.

Cortés firmó aquí la segunda Carta de Relación

Las órdenes religiosas

Durante la Conquista los españoles emprendieron campañas para dominar a los pueblos a los que no habían llegado. Hernán López de Ávila conquistó Zacatlán; Pedro de Portillo y Hernando de Salazar, Teotlapan o Hueytlapan; Gonzalo Pontero, Xuxupango; y Francisco de Montejo, Chila. Hacia el año de 1522 se había sometido totalmente lo que hoy es nuestra entidad.

Para consolidar el poder español se realizó otro tipo de conquista, llevada a cabo por misioneros de diversas órdenes religiosas; principalmente por franciscanos, dominicos y agustinos.

En 1523, por orden del rey Carlos V, llegaron a la Nueva España tres misioneros franciscanos: fray Juan de Aora, fray Juan de Tecto y fray Pedro de Gante. Ellos iniciaron la evangelización, es decir, la enseñanza de la doctrina cristiana entre los indígenas, sobresaliendo por sus prédicas fray Pedro de Gante.

Al año siguiente, en 1524, llegó un grupo de doce frailes franciscanos bajo las órdenes de fray Martín de Valencia. Después de un mes de planear la evangelización, se dividieron el territorio de la Cuenca de México y formaron grupos para que cada uno de ellos iniciara la enseñanza de la doctrina cristiana, en diferentes regiones. Un grupo permaneció en la capital de la Nueva España, otro fue a Texcoco, el tercero pasó a Tlaxcala y el

Templo de San Gabriel en Cholula

cuarto se dirigió a Huejotzingo, donde existía una población de 80 000 indígenas aproximadamente.

Fray Juan de Rivas fundó en 1524 uno de los primeros conventos en Tepeaca. Posteriormente se fundaron otros en Tecamachalco, Huaquechula, Cuauhtinchan, Tochimilco, Calpan, Tehuacán, Zacatlán, Quecholac, Tecali y Atlixco. De esta forma los franciscanos se extendieron por el territorio sur de nuestra entidad.

Más tarde, en 1526, llegó la orden de Santo Domingo y por último, en 1533, la orden de San Agustín.

Los frailes estaban organizados en varias provincias que no siempre coincidían con los límites de obispados ni con las divisiones territoriales del gobierno español. En 1524, los franciscanos crearon la Provincia del Santo Evangelio, en la que quedaron incorporadas todas las fundaciones del territorio poblano. Sus conventos e iglesias fueron grandes, pero no tan profusamente adornados como los de los agustinos. Sin embargo, algunos conjuntos conventuales destacan por su construcción, como el de Huejotzingo y la Capilla Real de Cholula con sus 45 cúpulas y 9 naves.

La tarea de los frailes fue la de evangelizar a los indígenas, para lo cual se dedicaron con particular empeño al conocimiento de su idioma e impulsaron nuevas formas de culto religioso, como las procesiones, las peregrinaciones, los cantos y aún los "mitotes", es decir, bailes y danzas. También en sus manos recayó la educación que se difundió en los conventos y a través de dos tipos de escuelas: la interna y la externa. En la primera se educaba a los hijos de los nobles indígenas y las materias que se impartían fueron la gramática, lógica, retórica, música, geometría, aritmética y astronomía. En la segunda estudiaban los hijos de los mestizos y de castas, donde aprendían doctrina, canto y nociones de escritura y aritmética. También se crearon dos colegios con estudios superiores: el de San José de los Naturales y el de Santiago de Tlatelolco, en la Ciudad de México.

Por otra parte a los indígenas se les enseñaba artes y oficios para que se pudieran valer por sí mismos; estuvieran capacitados en la construcción de casas, conventos, iglesias; se dedicaran a la escultura, orfebrería, artesanía, etc. y entraran a formar parte del sistema económico español.

Los misioneros los instruían en algún arte u oficio

Convento de Zacatlán

Otra de las órdenes religiosas que edificó conventos en nuestra región fue la dominica. Esta orden estableció la Provincia de Santiago Apóstol, cuyo territorio abarcaba parte del Valle de Tlaxcala-Puebla y posteriormente, la parte sur de la provincia de Puebla. Los dominicos también fundaron conventos en Izúcar (hoy de Matamoros), en Tepeji de Rodrígüez y en Acatlán, lugar evangelizado por fray Francisco Marín y fray Pedro Fernández.

Por último, la orden de los agustinos fundó al suroeste de nuestro estado los conventos de Chietla y Chautla, y al norte el de Pahuatlán.

En 1572 llegó la Compañía de Jesús, cuyos miembros son conocidos como jesuitas. Cuatro actividades los distinguieron: la enseñanza de la doctrina cristiana; la educación europea impartida por ellos; la creación y organización de misiones, principalmente en el norte del país; y la posesión y administración de haciendas.

Establecieron la iglesia y el

Colegio del Espíritu Santo en Puebla (hoy instalaciones de la Universidad Autónoma de Puebla), lugar en el que se impartió la enseñanza de la filosofía y en el que el padre Garochi escribió y enseñó la gramática náhuatl. También se impartían clases de humanidades y de teología.

En la primera mitad del siglo XVI, el gobierno español junto con la iglesia promovió la construcción de hospitales, con el fin de dar asistencia médica a la población indígena, contagiada por las epidemias. Así se contruyeron los hospitales de San José, San Roque, San Pedro y San Pablo y San Sebastían en la Ciudad de Puebla. También existieron otros centros de salud, en aquellos pueblos que tenían importancia económica, por su alta densidad de población indígena, como el edificio en Tehuacán, que estaba al cuidado de frailes; los alimentos y las medicinas los proporcionaba la gente de la ciudad.

Convento de Tecali

Hoy, una ciudad del siglo XVI

Durante la época de la Colonia los reyes de España pedían informes de las ciudades, poblaciones y villas para saber cómo eran y en dónde se encontraban. Las notificaciones hacían una descripción geográfica de la región, de la ciudad y su población; de las plantas, siembras, árboles frutales y animales.

Es por esto que el desarrollo de la organización de una ciudad durante el siglo XVI puede conocerse a través de las crónicas y relatos recopilados, por ejemplo existe la Descripción de Cholula, hecha en 1581 por Gabriel de Rojas.

A la Ciudad de Cholula algunos indígenas la nombraban Tollam Cholullan Tlachiuhaltépetl, o Tullan Chololllam. Tullan significa congregación de personas que se dedican a diferentes oficios. También quiere decir "gente que se reunía junto a un tule". Tullam porque el pueblo se fundó junto a un tule; o bien porque la ciudad fue fundada por gente de un pueblo llamado Tula (Hidalgo). El nombre de Chololllam le fue adjudicado por los primeros habitantes y significaba "huir" y Tlachiuhaltépetl (la pirámide) "cerro hecho a mano".

La ciudad tenía una población de 9 000 habitantes, y se caracterizaba por las labores de sus mercaderes, labradores, hortelanos, artesanos y pintores. Las casas se construían con piedra, ladrillo, madera proveniente de Tlaxcala y adobe; las portadas eran decoradas con cantera de

Los indígenas tuvieron a su cargo la construcción de las ciudades

Piedra, ladrillo y madera eran los materiales para la construcción

color pardo y negro, traída de Calpan. El trazo de la ciudad se hizo en forma de tablero de ajedrez. La jurisdicción de la ciudad abarcaba 10 pueblos y algunos barrios.

Respecto a las construcciones religiosas existía un monasterio, una iglesia y una gran capilla.

Como alimento principal tenían el maíz, al que llamaban tlaute, y del que hacían tortillas que consumían en todas las comidas del día, acompañadas de frijoles, o de calabaza, carne de res, carnero, guajolote, perro o pescado. También consumían quelite, aguacate, nochtli o tuna, capulín, zapote, mora, albaricoque, pera, melocotón, durazno, membrillo, granada, higo, naranja y lima; hortalizas como coles, lechugas, rábanos, ajos, cebollas, nabos y zanahorias. Las bebidas se preparaban con cacao, chián o pulque.

La enfermedad más común era el cocoliztli (tifo), también había otras enfermedades para cuya curación se utilizaban plantas y se practicaban sangrados. Hacían una incisión en la parte del cuerpo donde estaba la infección para disminuirla y dejaban fluir un poco de sangre.

Los animales eran el coyote, el hepatl o zorrillo, conejos, tórtolas, gavilanes, pajarillos, auras, centzontlatolli, (el nombre de este último significa 40 lenguas, porque el ave canta de muchas formas), gallinas, colotl o alacrán y acalhuacan o escorpión.

Cultivaban la cochinilla, la alimentaban con el jugo del nopal, la desecaban y machacaban para elaborar una tinta que servía como colorante.

Fundación de Puebla

Tres fueron las causas principales para la fundación de la Ciudad de Puebla. La primera consistía en que al repartirse las encomiendas del territorio de Nueva España entre los primeros colonizadores españoles y los soldados conquistadores, hubo algunos que no recibieron tierras. Para solucionar este problema se pensó en la fundación de nuevos poblados y ciudades, en donde el español trabajara sin requerir de la mano de obra indígena. Otra causa fue que, si bien habían sido aprobadas las encomiendas fundadas en el territorio conquistado, este sistema no era bien visto por el monarca español. El tributo indígena dado al conquistador mermaba en gran parte, lo que el rey de España podría percibir si los indígenas trabajaban la tierra y entregaban el tributo directamente al rey. Por esta razón, la Corona inició su plan para combatir el sistema de encomienda. Este consistía en la fundación de nuevas ciudades y en la paulatina prohibición de las encomiendas por medio de leyes.

La encomienda frenó el pago de tributos a la Corona.

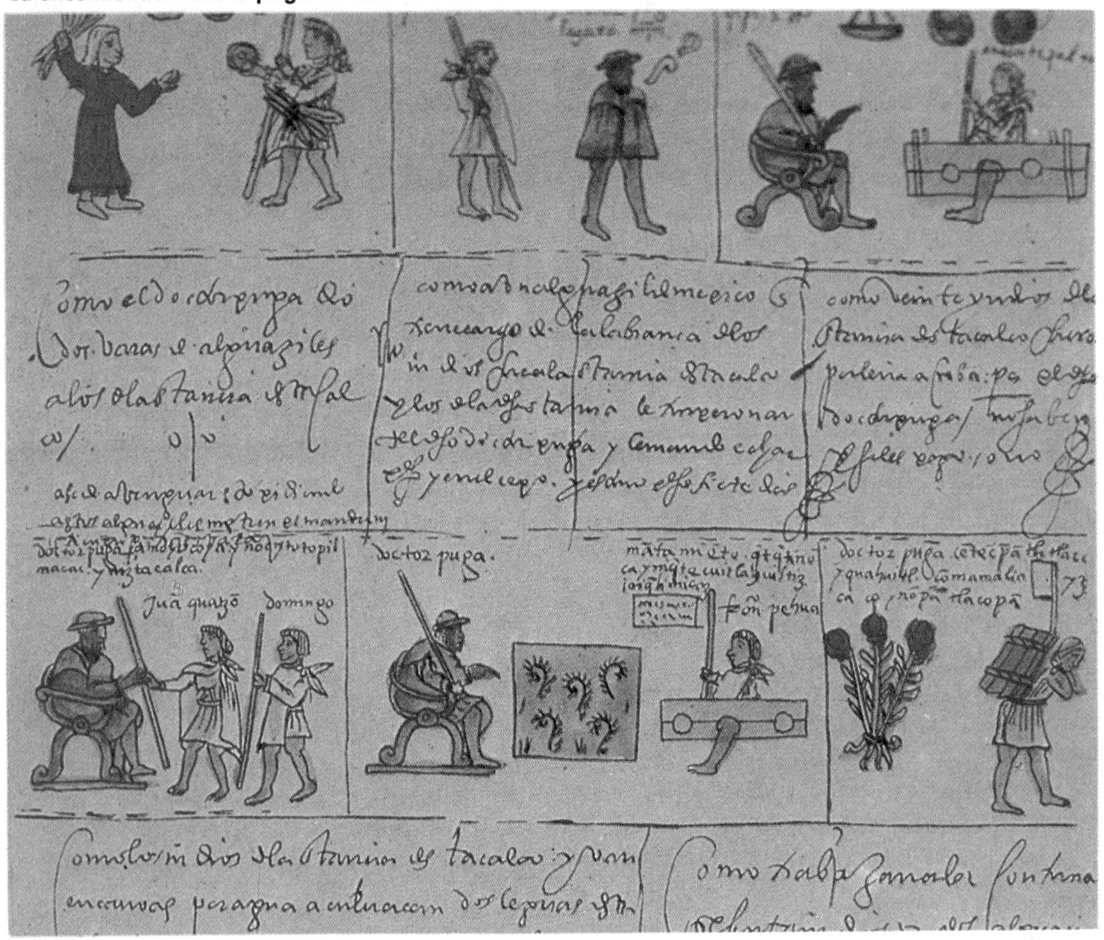

Fundación de la Ciudad de Puebla

Finalmente, entre las ciudades de Veracruz y México no había ninguna ciudad donde los viajeros y comerciantes se detuvieran a descansar, revisar la mercancía y proveerse de lo necesario para continuar el viaje. Así, se pensó en fundar una población entre el Puerto de Veracruz y la capital de la Nueva España, en tierras que no hubieran sido otorgadas a algún español, ni que fueran posesiones de los indígenas, ni tampoco en las que hubiera algún asentamiento prehispánico.

Las tres razones anteriores fueron la causa de que el gobierno de la Nueva España, desde 1530, pusiera en práctica lo planeado. Así se dieron facilidades a españoles para poblar la tierra conquistada, para que, por medio de su trabajo, principalmente el agrícola, pudieran subsistir, además de generar más cultivos para la economía novohispana. Las tierras que se escogieron y que tenían las características de cultivo, fueron las situadas entre las ciudades de Tlaxcala y Cholula.

Para fundar la nueva ciudad se reunió a un grupo de españoles que no tenían posesiones y se les trasladó a un sitio entre la ladera sur de una colina, a la que se le llamó Cerro de San Cristóbal (hoy

En las zonas áridas.

cerros de Loreto y Guadalupe), y la parte oriente del arroyo hoy llamado de San Francisco. Acompañados por los frailes Toribio de Benavente, Motolonía, Jacobo de Testera, Luis de Fuensalida, Alonso Juárez y Diego de la Cruz. En este lugar comenzaron a delinearse y a trazarse las calles de lo que sería la ciudad, con la ayuda de varios indígenas que provenían de Tlaxcala, Huejotzingo y Tepeaca, y que traían tezontle, madera, sogas, piedras y herramientas. También se hizo la repartición de tierras para que los fundadores construyeran sus casas, y pudieran cultivar.

Algunos de los fundadores fueron Juan Pérez de Arteaga apodado "Malinche"; Diego de Ordaz, Juan de Limpias Carvajal, García de Aguilar, Gregorio de Villalobos, Juan Ochoa de Lézalde, entre otros.

Respecto a la fundación de la ciudad, no existe duda de que fue el 16 de abril de 1531. La ciudad recibió el nombre de Puebla que significa "lugar que se puebla o en donde se llega a vivir".

Una leyenda que hace referencia a su fundación, cuenta que el obispo de Tlaxcala, Julián Garcés, durante un sueño vio un campo en medio del cual había un río y a los lados otros dos. El campo tenía hierbas, flores y manantiales de agua. También

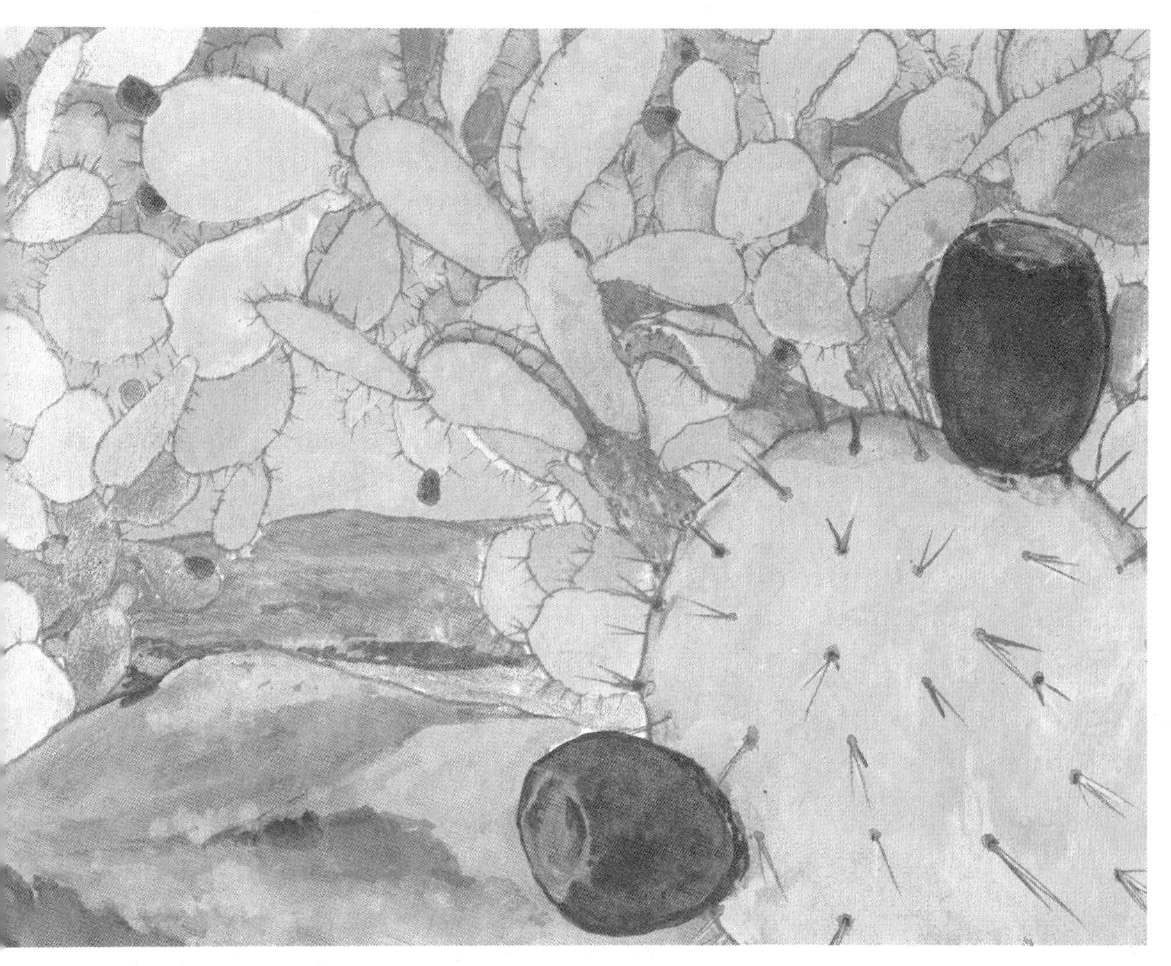

. . . sólo cultivaron nopales

observó a dos ángeles que trazaban y delimitaban con cuerdas lo que sería sus límites. En la mañana, al despertar, contó su sueño a otras personas quienes lo acompañaron a 5 leguas (25 kilómetros aproximadamente) de Tlaxcala, donde encontró el campo que había soñado. De esta leyenda surgió el nombre de Puebla de los Ángeles.

Al poco tiempo de la fundación se construyeron casas y se cultivaron los campos pero las lluvias destruyeron algunas casas y la siembra y ello obligó a algunos pobladores a abandonar el sitio. Para evitar que Puebla fuera deshabitada, la población cambió de lugar al lado oeste del Río de San Francisco en el año de 1532. Se delimitaron los terrenos e iniciaron la construcción de nuevas viviendas. Se repartieron tierras del Valle de Atlixco para que los pobladores comenzaran a sembrar y a cultivar árboles frutales. Las poblaciones de Tlaxcala y Cholula enviaron varios indígenas que ayudaron en la construcción de casas y en la siembra. Finalmente el gobierno obligó a algunos españoles radicados en México a que se establecieran en Puebla.

El 20 de marzo de 1532, la reina de España, por medio de un documento, otorgó a la nueva

Escudo de la Ciudad de Puebla

fundación el título de Ciudad de los Ángeles y dispuso que los pobladores no pagaran alcabalas (impuestos) durante 30 años.

Las facilidades que el gobierno novohispano dio a los fundadores de Puebla y la buena ubicación de los campos de cultivo lograron que en poco tiempo se desarrollara notablemente tanto que llegó a ser la segunda ciudad de Nueva España en importancia económica. El 20 de julio de 1538 se le otorgó un escudo de armas en el que se contempla una ciudad con cinco torres de oro, dos ángeles a los lados, las letras K de Karl (Carlos) y V, de Quinto; es decir, Carlos V, así como un río y una inscripción en latín dice: "Dios ordenó a sus ángeles que te guardase en todos tus caminos".

Posteriormente recibió en 1558 el título de Noble y Leal Ciudad de los Ángeles. En 1561 el de Muy Noble y Leal y, en 1576, se le nombró Muy Noble y Muy Leal Ciudad de los Ángeles. Hay que mencionar que durante la Colonia también se le nombraba oficialmente Puebla de los Ángeles.

Puebla adquirió gran importancia por sus cultivos principalmente, los de trigo. Por esta razón fue considerada el Granero de Nueva España.

La fama hizo que muchos

españoles invirtieran su dinero para impulsar su desarrollo económico.

También hubo comerciantes que fueron a radicar en la ciudad que había adquirido gran auge comercial, como paso obligado entre Veracruz y México.

También se establecieron trabajadores de todos los oficios; ejemplo de ello, fueron los artesanos que llegaron a tener fama en la fabricación de loza, vidrio, hilados, tejidos, etcétera.

En la segunda mitad del siglo XVIII el Ayuntamiento de la Ciudad de Puebla planeó construir un teatro o "Coliseo de comedias", con el fin de divertir a la gente además de resultar una fuente de ingresos para mejorar las rentas del Cabildo (municipio). El teatro se edificó con los fondos municipales y se inauguró en mayo de 1760.

Todas las obras que se escenificaban estaban sujetas a un reglamento, el cual señalaba que los comediantes no se burlaran del público; prohibía los bailes típicos del país así como el uso del vestido indígena o cualquier otro que no fuera el español. Si los espectadores hablaban, gritaban o manifestaban su descontento durante la representación de la obra los encarcelaban durante ocho días.

El oficio de hilados y tejidos tuvo un importante desarrollo

Nuevas formas de trabajo

Al terminar la conquista militar, los conquistadores pronto se dedicaron a sacar provecho de la dominación: a costa del trabajo indígena edificaron sus casas, conventos e iglesias.

Implantaron la esclavitud y la encomienda. La primera pretendía justificarse en el falso supuesto de que el indígena era inferior y que por lo tanto su condición natural era la de esclavo. La esclavitud se generalizó en toda Nueva España, hasta que, en 1542, por las protestas de misioneros y algunos españoles, se dictaron leyes que la prohibían. Otra razón por la que se abolió, fue por el temor de quedarse sin mano de obra indígena como sucedió en las Islas del Caribe al permitirse su explotación y maltrato.

Mediante la encomienda el encomendero, recibía tributos en trabajo o en especie a cambio de proteger a los indígenas y evangelizarlos. El tributo en especie consistía en productos de la tierra como el maíz, u otros elaborados, como mantas de algodón. Posteriormente el tributo se dio en dinero. Casi todos los encomenderos abusaron al exigir, además del tributo en especie, una serie de servicios personales (tributos en trabajo); algunos de ellos aprovecharon la ocasión para apoderarse de las tierras de los indígenas. La Corona española estableció, de principio, una política que toleraba la encomienda; después optó poque desapareciera, con el fin de que todos los indígenas pagaran tributos a la Corona. Las encomiendas prosperaron desde mediados del siglo XVI, luego entraron en decadencia y, a fines del XVII, casi habían desaparecido.

Algunas de las encomiendas más importantes fueron las de Jorge de Alvarado en Huaquechula, Andrés de Tapia de Cholula, Pedro de Alvarado en Izúcar, Juan de Jasso

Los mexicas pagaban tributo a los españoles

en Huauchinango, Alonso de Ávila en Totimehuacan y Hernán Cortés en Huejotzingo y Calpan, entre otras.

Una vez que se suprimió la esclavitud y los servicios personales de la encomienda, la mano de obra fue requerida por medio de la repartición de indígenas. Este sistema consistía en requerir o pedir a los pueblos indígenas un determinado número de trabajadores para las labores de estancias (tierras cultivables o para ganado) así como para las de haciendas, minas, construcciones, ya sea que se tratara del interés público o del privado. El requerimiento se hacía por parte de la autoridad civil y el trabajo era forzoso y se pagaba a un precio mínimo, este sistema era común a fines del siglo XVI.

Pedro de Alvarado esclavizó a sus encomendados

Como ejemplo de las encomiendas podemos tomar la de Rodrigo de Rivero, en Tecamachalco, habitada por 15 españoles y 10 esclavos, la cual tenía un monasterio, una gran extensión de tierra y 20 caballos. También la encomienda de Hernando de Nava, en San Juan de los Llanos con tierra suficiente donde vivían 10 españoles y cinco esclavos. La de Tehuacán perteneció al encomendero Antonio Ruíz y a la Corona Española. Para la primera mitad del siglo XVI tenía. aproximadamente tres mil tributarios, repartidos en la cabecera y 20 poblaciones que estaban dentro de la jurisdicción de Tehuacán.

Huauchinango fue entregado en encomienda a Alonso de Villanueva y a su hijo Agustín. La población tenía 2 500 tributarios, distribuídos en cuatro barrios. Las casas de esta gente eran de madera, recubierta de milpa seca. Tributaban cada año ocho reales (moneda española de plata y oro) y media fanega de maíz (27.7 litros).

También se dieron terrenos a varias familias con diversos propósitos. Así, el 17 de enero de 1563, el virrey Luis de Velasco otorgó mercedes (tierras) a la familia indígena Mendoza, para que fundaran un pueblo en Aljojuca (municipio de Libres) con lugares específicos para el ganado, además de señalarse los límites. El 23 de

Con la encomienda se propició la evangelización de los indígenas

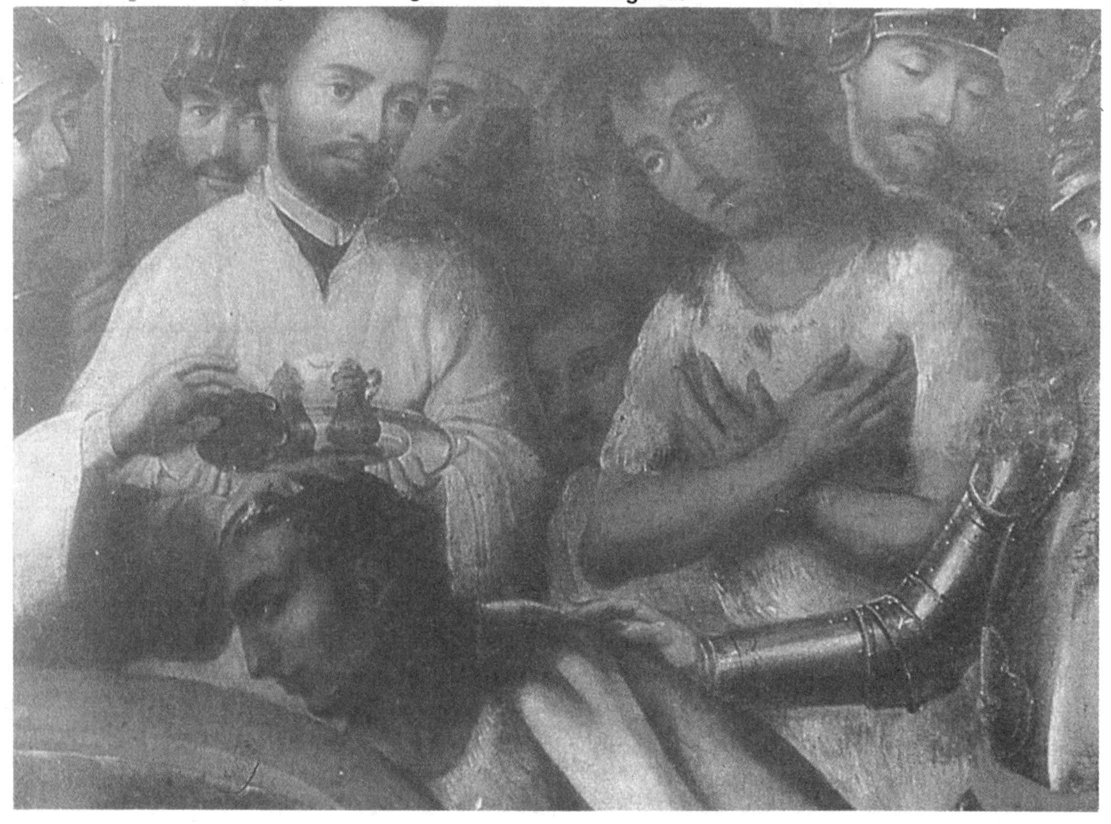

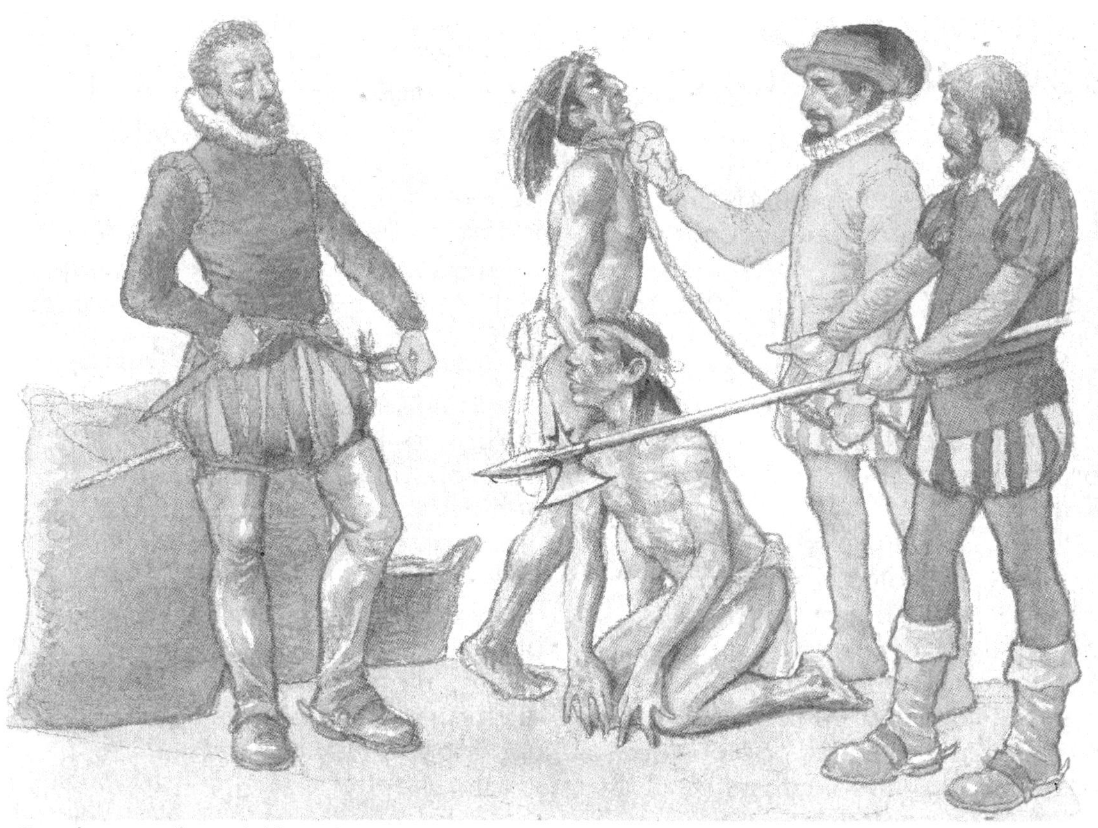

Con el coatequil se evitó la esclavitud

enero de 1565 se repartieron propiedades al capitán Juan Mellado de San José, para fundar haciendas, entre ellas la de San Francisco Cascantla administrada por él y sus descendientes hasta 1743.

Un documento de 1560, señalaba que, dentro del obispado de Puebla, debían quedar en Cabeza Real los siguientes pueblos: Tlaxcala, Cholula, Huejotzingo, Tepeaca, Izúcar, Chietla, Tepeji, Tlatlauquitepec, Hueytlalpa, Xalacingo, Xalapa, Teutlaco, Tehuacán, Chiautla, Tlapa, Tonalá (la de Izúcar), Coxcatlán, Teutila, Acatlán y Cuautinchan.

Como los españoles también necesitaron trabajadores para sus labranzas y talleres artesanales la Corona autorizó se contratara a indígenas pagándoles un salario por jornada fija. Este trabajo se conoció como coatequil y fue reglamentado para evitar abusos. Sirvió también para evitar que a los indígenas, como ocurrió en los primeros años, se les esclavizara.

Esta relación de formas de trabajo revela cómo los indígenas de la Nueva España, y en concreto de la provincia de Puebla, eran económicamente dependientes de las autoridades españolas y de los propios conquistadores, para quienes tenían que tributar y principalmente trabajar en minas, granjas, ranchos y haciendas; en sus talleres artesanales en la construcción de casas, iglesias, casas reales o municipales.

Obtención del sustento cotidiano

Después de que algunos pueblos fueron entregados en encomienda a los conquistadores y otros fueron nombrados Cabeza Real, el territorio empezó a cambiar de fisonomía. Los campos agrícolas aumentaron su producción; esto permitió que la agricultura constituyera una de las principales actividades en la Colonia.

En la agricultura se aplicaron técnicas agrícolas europeas que propiciaron una mayor productividad. Así, se introdujo el arado con punta de madera y de hierro, tirado por yunta, principalmente en los campos donde se sembraba trigo y cebada. Además se empleaban, como herramientas, los azadones, palas, picos y barretas que sustituyeron a las coas o bastones plantadores indígenas. En las tierras en donde se cultivó la caña de azúcar, instalaron los trapiches para (lugar y maquinaria donde se procesa la caña de azúcar) producir piloncillo, azúcar y alcohol, cuyo uso pronto se generalizó, suplantando, en algunos lugares, al pulque como bebida.

En la primera mitad del siglo XVI, en nuestro estado se introdujeron de Europa granos, vegetales y frutas. En primer lugar, fueron sembrados el trigo, la cebada, la lenteja y el garbanzo. Entre las hortalizas, vinieron la lechuga, la col, el pepino, la calabaza de Castilla, el jitomate, el ajo y la cebolla. Los frutales fueron: manzana, pera, higo, membrillo y nueces; éstas alternaron con el zapote blanco, el prieto, el amarillo, el chicozapote, la chirimoya, el mamey, la anona, la guanábana, la pitahaya, el capulín y el tejocote.

El cultivo de hortalizas y frutales fue aprendido con enormes provechos por los indígenas de Huejotzingo y Tlaxcala, quienes después lo llevaron por todo el

Los campos agrícolas aumentaron su producción combinando las técnicas indígenas y españolas

Cultivo de lechuga

norte de México, cuando esa región fue poblada. En Coxcatlán, junto con los cultivos indígenas de maíz, frijol, chile y calabaza en el año de 1580, también se cultivaron cañas dulces y plantas de Castilla como son: duraznos, peras, higos blancos y negros, cerezas, manzanas, naranjas, limas y toronjas, melones, pepinos, así como varios tipos de legumbres de hortaliza. Los morales y las viñas también eran ya comunes en varios pueblos como Acatlán, Atihuatzía, Tepejí y Huaquechula.

El trigo sembrado en diversos sitios de la meseta poblana y cuya producción representó riqueza, se cultivó también en Izúcar en donde había un molino, propiedad de la comunidad y de un español. Por otra parte, se observa muy bien cómo muchos cultivos e industrias agrícolas antiguos preservaron: como la grana que se recogía en diversos sitios próximos a la Mixteca; el cacao que prosperaba en las tierras cálidas y húmedas; el aceite de xonotla y las sogas que se hacen del mismo; la cera y miel de abejas silvestres.

Los españoles, además de introducir plantas europeas, trajeron el cerdo, las ovejas, las cabras, las vacas, y los toros; el asno, el caballo y la mula, que pronto se multiplicaron en nuestro suelo. En las zonas de las sierras frías y húmedas, las ovejas se multiplicaron rápidamente y produjeron lana que se utilizó para elaborar sarapes y cotones. En las regiones áridas, las cabras producían leche y carne. La carne de cerdo se generalizó como alimento y su grasa fue utilizada en la comida criolla. El ganado vacuno creció y los indígenas principales empezaron a montar asnos y caballos. Los españoles también aportaron telares de pie para tejer lana, cuyo manejo aprendieron los indígenas con rapidez, además de difundirlo ampliamente pues eran hábiles artesanos. Así empezaron a fabricar mantas, bayetas, telas de lana tupida, que pronto transformaron la vestimenta.

En la segunda mitad del siglo XVI, el ganado lanar alcanzó un notable desarrollo en nuestro actual estado que permitió el fomento de la industria textil, principalmente en la Ciudad de Puebla. El crecimiento vertiginoso de la ganadería trajo, como consecuencia, problemas para la economía agrícola, puesto que el ganado de los españoles invadía constantemente los campos de cultivo de los indígenas, causando grandes destrozos en las siembras. Para evitar problemas, el gobierno español estableció que los ganaderos retiraran el ganado a legua y media (7 km. aproximadamente) de los campos de cultivo.

Para organizar la actividad ganadera en Nueva España, fue

Los frutales fueron de gran beneficio para los indígenas

creado el Consejo de la Mesta o Asociación de Ganaderos, que se encargaba de establecer normas para regular y dirigir esta actividad. En Puebla funcionó a partir de 1540 y luego en Nopalucan. Otras actividades de la economía fueron la explotación de la grana o cochinilla del nopal, utilizada desde la época prehipánica y durante la Colonia, como colorante. Esta actividad se desarrolló principalmente en Cholula, Tecamachalco, Huejotzingo y Tepeaca. La importancia del producto fue tan grande, que en 1555 se estableció en Puebla un Juzgado de la Grana que se encargaba de cuidar la calidad del colorante. Su producción alcanzaba cerca de 200 mil pesos oro. Por otro lado, la industria de la seda tuvo una gran importancia en el territorio poblano, tanto que el pueblo de Tepeji (hoy de Rodríguez) fue nombrado Tepeji de la Seda.

Puebla, situada a la mitad del camino entre Veracruz-México y

El ganado porcino fue traído desde Europa

Acapulco, pronto se distinguió por ser un paso para el comercio novohispano. Por esta ciudad transitaban las mercancías que llegaban de Europa, de China y Filipinas; las harinas que iban de los llanos de Puebla y Veracruz a otras partes de la Nueva España; los pasajeros que atravesaban el territorio para tomar la Nao de China en Acapulco o un galeón que los llevara a España. Al principio de la Colonia, también fue lugar de paso hacia Oaxaca, Chiapas y Guatemala.

El gobierno español, para obtener más dinero, estableció por medio de leyes que a él sólo le pertenecían aquellos productos que dejaban buenas ganancias, como el azogue (mercurio), pólvora, sal, especias, papel sellado, tabaco, tinte, colorantes, naipes y peleas de gallos, negocios a los que se les nombraba estancos. La Corona, monopolizaba estos productos.

La administración la hacía la Real Hacienda; pero hubo otros estancos, como el de la nieve (hielo), que los daba a trabajar a personas que no tenían que ver con el gobierno, las cuales recibían el nombre de asentistas.

En nuestra entidad funcionó desde 1638, el estanco de la nieve en Puebla, Cholula, Amozoc y Huejotzingo arrendado por cinco años. Para entonces, la nieve no se sabía hacer como ahora, sino que era traída diariamente del Popocatépetl y del Iztaccíhuatl o "Monte de Texmelocan"; era utilizada en las botillerías o tiendas donde se vendía toda clase de refrescos, bebidas heladas, productos elaborados llamados "mixturas de fuego finomoldados" (mezcla de nieve de varios sabores); o la "nieve simple o compuesta", ofrecida a la gente que asistía a lugares de diversión como el "Coliseo de comedias", la Plaza de gallos, las corridas de toros, etcétera.

El trozo de nieve que pesaba una libra, se vendía en un real (moneda de plata española). La transportaba una institución que se llamaba "La posta de la nieve". Su utilización era tan requerida que se dieron casos de contrabando. El estanco de la nieve funcionó hasta 1833, bajo el nombre de "Nevería de Rementería", nombrado así porque desde 1800 el asentista fue Miguel Rementería quien heredó el negocio a su descendencia.

Taller de herrería

Aunque la agricultura y la ganadería fueron las actividades más importantes de la economía poblana, existían además, como ya vimos, otras ramas secundarias como el comercio, los estancos, la industria textil y de metales como el oro y la plata que se trabajaron en orfebrería, joyería, batihojería y tiraduría que veremos más adelante. A las personas que hacían esta labor, se les daba el nombre de "pelados" porque no usaban camisa; sólo se tapaban con un pedazo de manta. Sabemos que para ser artesano era necesario, antes, ser aprendiz; luego oficial, es decir, un trabajador con experiencia, pero no la suficiente para enseñar y por último, maestro, aquél que poseía los conocimientos necesarios para emplear cualquier técnica artesanal y transmitir los conocimientos a los aprendices. Para ser maestro, era necesario presentar un examen que consistía en tomar de un libro de dibujo algún grabado al azar; el artesano debía elaborarlo para ser examinado, posteriormente, por un jurado.

La orfebrería poblana tenía una gran demanda en toda la Nueva España; principalmente aquellos objetos destinados a las iglesias y casas de los españoles ricos, como eran los cálices, barandales, candiles, candeleros, vajillas, cubiertos de plata y adornos con formas animales. En la Catedral de Puebla, existían varias piezas de casi tres metros de alto, adornada con columnas y esculpida con escenas bíblicas; una lámpara de plata de 600 kilos de peso que colgaba de la cúpula; un trono de plata esculpido, y del mismo metal, una vajilla.

La batihojería, que significa "batir hojas", era la práctica de recubrir con láminas de oro puro muy delgadas, los retablos, los marcos de cuadros, los espejos, etcétera. La forma como se fabricaba la lámina de oro consistía en colocar un trozo de metal entre capas de piel; después era golpeado con un mazo hasta que se hacía una lámina delgada. También lo llamaban oro volador, porque así no pesaba. Las láminas se utilizaban para recubrir o hacer alambres delgados que servían de aretes y joyas; en hojuelas para insignias o galones; en hilo o canutillo con el que se bordaban vestidos y mantos. La tiraduría era la elaboración de alambres delgados de oro y plata. Estos se hacían, adelgazando la varilla por medio de fricción y tensión cuando eran pasados al través del agujero de una placa de metal calentada a altas temperaturas; ello permitía reducir el espesor de la varilla hasta convertirla en canutillo.

Otras industrias eran las del sombrero; telas con las que se fabricaban todo tipo de rebozos; y la curtiduría de pieles empleadas en la fabricación de zapatos, sombreros, ropa de trabajo y utensilios agrícolas. También existían la cerámica, la locería, la carpintería y la industria del vidrio, tan próspera que hubo una calle a la que se llamó "Horno de Vidrio".

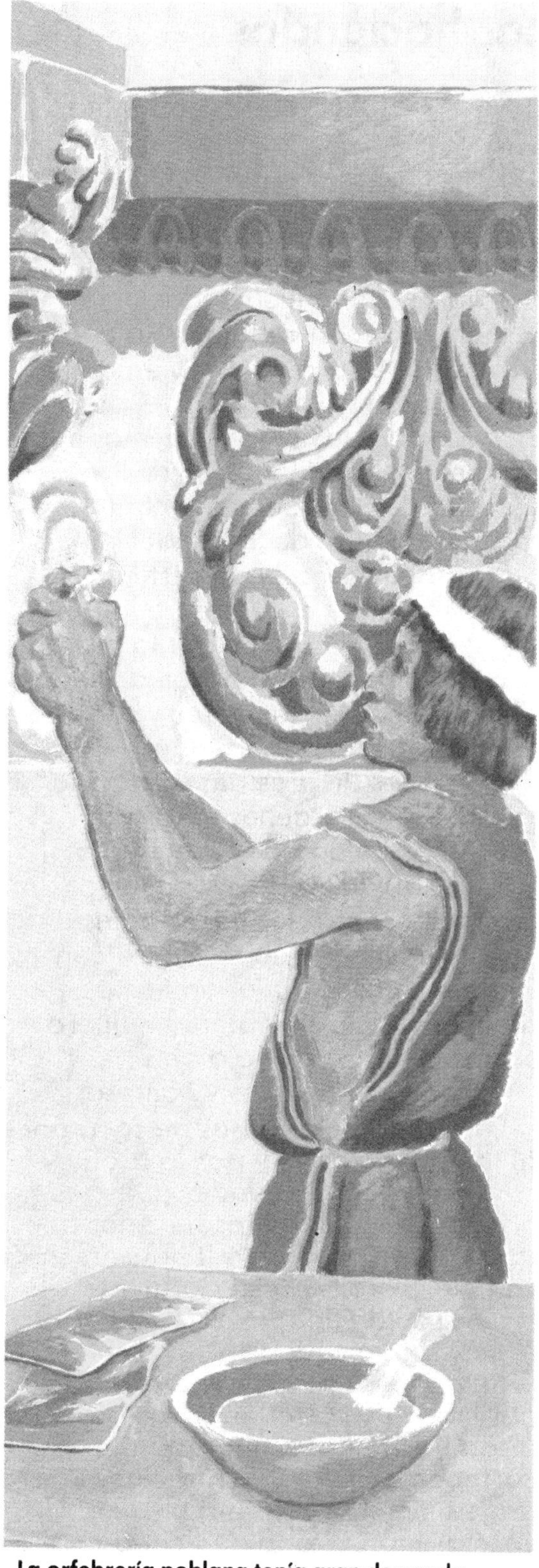

La orfebrería poblana tenía gran demanda

Las haciendas

Al sur de nuestra entidad, en la zona de Izúcar, la principal actividad económica de las haciendas era el cultivo de la caña de azúcar. El producto obtenido se utilizaba, en su mayor parte, para la elaboración de licor y lo demás era para el consumo local. Otro ejemplo de plantación de caña lo fue la Hacienda de San Gabriel Rijo, que se localizaba al suroeste, y la cual llegó a ser el centro de la concentración agrícola de la región.

En varios casos las propiedades agrícolas como haciendas y ranchos estuvieron endeudados con instituciones de préstamo, como la iglesia, cuyas órdenes religiosas constituyeron uno de los ejemplos más significativos de propietarios de grandes extensiones territoriales (latifundios). Prestaban dinero con intereses fijos; alquilaban tierras; casas y edificios, y obtenían dinero y propiedades por medio de herencias, donaciones y compras.

La compañía de Jesús destacó por su labor educativa y por la gran cantidad de propiedades que poseía. En los primeros terrenos que adquirieron en Puebla fundaron un colegio en 1579. Posteriormente recibieron un donativo de 72 800 pesos, con lo cual construyeron el Colegio del Espíritu Santo el 15 de abril de 1587. Éste tenía dos pisos, tres patios, amplios corredores, aulas y habitaciones de los jesuitas. Una parte de la construcción estaba dedicada a varias funciones: así en la planta baja se encontraban el rastro, y la carnicería, almacenes de ropa, panadería, gallinero, depósito de leña y jardines. El segundo piso estaba destinado a guardar granos y harinas.

Las casas del Colegio y sus habitaciones se caracterizaban por estar acondicionadas con cierta suntuosidad. En ellas estaba representado el nivel económico y social de los jesuitas. Eran propietarios de toda clase de animales los cuales servían de alimento y a su vez de mercancía.

Iglesia del Espíritu Santo

Después de establecerse en Puebla, iniciaron la construcción de una iglesia que se terminó en 1600, y para el siglo XVIII se edificó otra en el mismo lugar, que se conserva hoy día y se le llama "La Compañía".

Las haciendas de la Compañía de Jesús fueron administradas por los propios jesuitas y las trabajaban españoles, criollos, mestizos, indígenas y esclavos. También trabajaron mujeres y niños pero no se les pagaba sueldo.

Las principales haciendas de los jesuitas fueron Amaluca y San Lorenzo. La primera se localizaba al este de la Ciudad de Puebla, la cual se inició con la donación de varias tierras en 1583. Posteriormente se amplió con la compra y cambio de terrenos de otros propietarios. La segunda hacienda que colindaba al este con Amaluca y el Rancho de San Felipe, y que era dependiente de San Lorenzo, pasó a ser propiedad de la Compañía en 1740.

En las dos haciendas se sembraba trigo, haba, arvejón, cebada y maíz. También los campos de menor calidad fueron aprovechados para el cultivo del maguey, con éste se elaboraba pulque. Las herramientas para los campos de cultivo eran carretas, arados, coas, hoces, hachas y sierras. Los animales que se utilizaban eran los bueyes para el arado, el caballo para la monta y la mula para la carga de productos agrícolas y leña.

El trabajo se organizaba a través de un administrador jesuita, un mayordomo, un trojero, dos ayudantes, un mayordomo de recuas, un primer caporal, un milpero, y un hachiquero que se encargaba del abastecimiento de leña. El grueso de los trabajadores lo constituían los indígenas.

Las construcciones de la Hacienda de Amaluca, aparte de las funciones necesarias, tenía otras dos: como centro de vacaciones de los jesuitas poblanos y como central para el almacenamiento de productos agrícolas de otras haciendas. Los edificios se destinaban a habitaciones, graneros, trojes y corrales. También había una capilla, patios y la casa principal. En San Lorenzo existían los edificios necesarios para el almacenamiento de los cultivos de la misma hacienda, una cuadra, un gavillero (lugar donde guardaban ramas, cañas y yerbas) y las viviendas de los empleados.

Otra propiedad de importancia lo fue la Hacienda de los Reyes, situada a 22 km al noroeste de la Ciudad de Puebla, cerca de Santa María y de Tetlatlauhca.

Otras de las propiedades de los jesuitas fueron "Las haciendas de los llanos" que abarcaban varios lugares: Santa Lugarda, La Noria, Teoloyuca, San José Ozumba, San Juan Bautista, Ojo de Agua, y el Rancho de Nuestra Señora de Loreto. La forma de adquisición de las tierras fue por medio de compras aisladas.

La principal actividad productiva era la explotación de ganado y en menor grado el cultivo del maíz, haba, trigo y arvejón. Los edificios con que contaban las haciendas iban desde una troje de tres naves hasta establos, iglesia, carpintería, etcétera.

Para la segunda mitad del siglo XVIII la propiedad más valiosa del Colegio del Espíritu Santo fue la Hacienda de San Jerónimo, localizada al sur de Tecamachalco y cerca del pueblo de Santa Cruz Tlacotepec. También comprendía otras cinco haciendas: Santa María Buenavista, Astacingo, Petlalcingo, Putla y Tlacamana, además de 10 ranchos.

División del Espacio Geográfico

El territorio de la Nueva España estuvo formado por tres reinos: México, Nueva Galicia y Nuevo León. Pero dada la enorme extensión del territorio, los límites de cada reino fueron bastante imprecisos. Ello dificultaba la aplicación de las leyes, por lo que fue necesario crear jurisdicciones y puestos de gobierno, subdividiendo el territorio. Así, el Reino de México se dividió en cinco provincias: la de México, la de Tlaxcala, la de Puebla, la de Oaxaca y la de Michoacán.

Para gobernarlo, se estableció una organización política que giró en torno a una Real Audiencia, es decir, una junta constituída por funcionarios del Estado. Su administración fue tan mala, que el rey de España decidió destituir a sus integrantes y nombrar a personas eficaces. De esta manera, en 1531, fue formada la segunda Real Audiencia que gobernó hasta 1535. La presidieron Sebastián Ramírez Fue leal y los oidores fray Vasco de Quiroga, Juan de Salmerón, Alonso Maldonado y Francisco Ceynos. Esta audiencia se preocupó por mejorar la situación de los indios; creó instituciones políticas y culturales; fundó ciudades y dictó varias leyes para la organización y administración del territorio. Así, nuestra actual entidad quedó gobernada, de 1527 a 1535, por la Real Audiencia que, en 1531, dispuso la fundación de un sitio intermedio —la Ciudad de los Ángeles— entre las ciudades de Veracruz y México. Juan de Salmerán se encargó de este asunto.

Se creó la Real Audiencia

El emperador Carlos V, posteriormente, cambió la forma de gobierno y creó el Virreinato, de la Nueva España Nombró a Antonio de Mendoza primer virrey. Llegó en 1535, le otorgaron los cargos de gobernador y representante del rey, capitán general y superintendente de la Real Hacienda; con la tarea de presidir la Real Audiencia cuya autoridad era menor que la del virrey.

Esta institución quedó encargada de impartir justicia y de dictar, en unión del virrey, disposiciones para el buen gobierno del reino.

Las provincias también se subdividían en alcaldías mayores y corregimientos. A las cabeceras de las poblaciones en encomienda, se les llamó Alcaldías mayores y eran gobernadas por un alcalde mayor, quien era el encargado tanto de impartir justicia como de los asuntos administrativos. Enjuiciar a los delincuentes, recaudar tributos, asignar tareas específicas a los indígenas, requerir informaciones sobre la forma de vida de la gente, etcétera. A las cabeceras que no estaban en encomienda se les llamó corregimientos; eran gobernadas por un corregidor que tenía las mismas funciones que el alcalde mayor. Con el tiempo, las alcaldías mayores y los corregimientos se confundieron, pues sus gobernantes desempeñaban las mismas funciones.

Éstos tenían un poder amplio en su jurisdicción y eran nombrados por el virrey. Otros funcionarios fueron los alcaldes ordinarios que sólo trataban los asuntos referentes a lo judicial; los regidores, que ejercían lo administrativo; los alguaciles, que desempeñaban el cargo de policía, y los mayordomos, lo relativo a la economía. Al cuerpo de funcionarios, constituído desde el alcalde ordinario hasta el mayordomo, se le llamaba Cabildo.

El territorio de cada corregimiento o alcaldía mayor abarcaba determinados pueblos cabeceras y poblados de menor número de gente, que reconocía a otro como principal. La cabecera de cada corregimiento abarcaba cierto dominio, pues había que acudir a él para lo referente al comercio, al pago de tributos, a la práctica de servicios religiosos, administrativos y judiciales.

Algunos ejemplos de alcaldías mayores en nuestra entidad eran las de Puebla de los Ángeles, Cholula, Huejotzingo, Atlixco, Tepeaca, Tepeji, Tehuacán, Tecali, Huatlatauaca, Teopantlán, Izúcar, Chietla, Xolalpan, San Juan de los Llanos, Ahuetlaco, Teziutlán, Tetela de Ocampo, Chiautla, Acatlán, Zacatlán y Huauchinango. Huauchinango tenía una jurisdicción que llegaba hasta las costas del Golfo de México; el alcalde mayor de este lugar recibió órdenes del virrey, Marqués de Cadereyta, para que custodiara las costas y fronteras.

Alcalde Mayor

Varias de estas alcaldías mayores crecieron en población e importancia, ya que por ser centros de regiones económicas relevantes, o bien por ser el paso en las vías de comunicación o por su especial situación geográficas y extensión territorial. Otras en cambio, decayeron por su escasa población, mala situación geográfica, carencia de recursos, comunicaciones difíciles, insalubridad y otros factores.

Por otra parte, existían pueblos de indios gobernados por jefes indígenas, instalados en la jurisdicción de la cabecera. En ellos no se permitía que vivieran españoles; pero esto no se cumplió. En las ciudades se establecieron, a semejanza, de España, ayuntamientos o municipios, esto es, grupos elegidos democráticamente por el voto de todos los vecinos. El cuerpo municipal o ayuntamiento ejercía el gobierno de la ciudad y también, funciones judiciales. Al crearse la Ciudad de Puebla, los habitantes designaron a su ayuntamiento. Los primeros alcaldes ordinarios fueron, en 1531, Alvaro López; en 1532, Alonso Camacho y en 1533, Alonso Galeote. En 1531, los primeros regidores fueron Martín Alonso y Juan de Yepes.

Debido a la gran mortandad de

indígenas a causa de enfermedades, algunos pueblos se dispersaron. Con esto fue difícil gobernarlos y catequizarlos.

Las causas de la elevada mortalidad en la Nueva España fueron de diversa índole: como las guerras de conquista, las migraciones forzosas, el hambre, las enfermedades que trajeron consigo los españoles, contra las cuales la población indígena carecía de defensas; y principalmente, las epidemias como el matlazáhuatl (tifo), la viruela y el sarampión.

En Cholula, una de las epidemias que fue considerada como la más terrible, fue la de 1737; que mató aproximadamente a 17 mil indígenas, es decir, a las dos terceras partes de la población.

Para poder reunir a los indígenas dispersos, se fundaron las congregaciones, es decir, sitios escogidos donde se les concentraba para formar poblaciones.

En la segunda mitad del siglo XVIII, la familia de los Borbones inició su reinado en España. Uno de sus miembros fue Carlos III, quien, para ejercer un control más directo impuso en el imperio las reformas llamadas borbónicas. Dichas reformas fueron obligadas para tener una mejor política y administración para no tener fugas en el oro. Esto permitiría hacer buen frente a los crecidos gastos de la metrópoli. En algunas de ellas, se establecía la división de los territorios en jurisdicciones que fueron llamadas intendencias; debían ser gobernadas por un intendente cuyo papel era centralizar el poder político y económico.

Así, el territorio de la Nueva España quedó dividido en doce intendencias: México, Puebla, Veracruz, Mérida (Yucatán) Oaxaca, San Luis Potosí, Guanajuato, Guadalajara, Valladolid (hoy Michocán), Durango, Arizpe (hoy Sonora) y Zacatecas.

Las intendencias se dividieron en subdelegaciones. En Puebla estaba la ciudad capital. Otras en Tepeaca; en Zacatlán de las Manzanas, en San Juan de los Llanos, en Tlaxcala, en Huauchinango, en Tetela y en Xonotlá, en Santiago Tecali, en Tepeji de la Seda y su agregado Huatlatiauca; en Chiautla de la Sal con el agregado de Teotlalco y Xolalpa, en Acatlán y Piaxtla, en Atlixco, en Tehuacán de las Granadas, en Cholula y Huejotzingo, en Izúcar y sus agregados de Ahuatlán, en Teopantlán y el Corregimiento de Chietla; en Guayacocotla y Chicontepec, en Teziutlán y Atempan y en Cuautla de Amilpas con sus agregados de Tetela del Colcán y Tochimilco.

Esta división enmarcaría lo que constituye el actual estado de Puebla, junto con la división del obispado.

Conforme se organizaba la división política, también organizaba el aparato administrativo. Se impuso una nueva forma de sociedad estructurada a través de la desigualdad social. Así, la población novohispana se compuso de españoles provenientes del gobierno. Seguían los criollos, hijos de españoles nacidos en América, a quienes se les encargaban los puestos menores del gobierno y que la mayoría de las ocasiones controlaban el comercio. Después estaban los mestizos, hijos de españoles e indígena, cuya ocupación principal era la artesanía. Y finalmente, los indígenas que trabajaban en todo lo referente a la agricultura. En esta pirámide social, aún más abajo que los propios indígenas se encontraba una variedad de mezclas que conformaron las castas, resultantes de la unión de españoles, indígenas y negros. Las castas tenían oficios muy variados y solamente trabajaban en aquellas labores domésticas y de servidumbre, sujetas al dominio español.

Por último, se hallaban los negros esclavos que por su gran resistencia física, fueron ocupados en las tareas más pesadas, principalmente en las minas.

Puebla, en cuyo territorio existían numerosas poblaciones indígenas independientes eran parte de un antiguo señorío, contó desde los inicios del gobierno virreinal, con varias ciudades y poblaciones en las que funcionaron los sistemas de gobierno señalados.

La sociedad se dividió en Castas

Jurisdicción eclesiástica

Páginas atrás mencionamos el obispado de Tlaxcala, fundado en el año de 1526. Su primer obispo fue fray Julián Garcés. En 1527, Garcés llegó a la Nueva España y procedió a gobernar su diócesis, cuyos límites eran: por el noreste, el Golfo de México; por el sur, la Mar del Sur u Océano Pacífico; por el sureste, la Diócesis de Oaxaca y por el oeste, la de México. Así pues, el obispado de Tlaxcala comprendía los territorios de los actuales estados de Tlaxcala, Puebla, parte de Guerrero, Veracruz, Morelos, Tabasco, Chiapas y Yucatán. Este último se separaría más tarde.

Al crecer y cobrar importancia la Ciudad de los Ángeles, Garcés obtuvo en 1543, el permiso de cambiar la sede de Tlaxcala a Puebla. No pudo efectuar el traslado, pues murió en 1548.

El cambio de sede se hizo hasta 1550, y el obispado pasó a depender directamente del Arzobispado de México. Los sucesores de Garcés fueron Martín Sarmiento de Hojocastro (1548-1557), Fernando de Villagómez (1562-1571), Antonio Ruiz de Morales y Molina (1573-1576) y Diego Romano (1578-1606) quienes continuaron la obra de Garcés. La organización y administración que implantaron en el obispado, hizo que éste cobrara renombre; tanto

Obispado de Puebla

que llegó a ser el segundo después de México.

La división del territorio de las diócesis no siempre correspondía a la que hacía el gobierno. En las de Puebla y de Tlaxcala, la administración de jurisdicciones se hizo a base de la creación de curatos. Estos quedaron al cuidado del clero secular, es decir, de curas que obedecían al obispo; aunque también hubo algunos bajo la vigilancia del clero regular, constituído por frailes de cualquier orden religiosa que obedecían al superior de la orden. Al finalizar la administración del obispo Romano, en los primeros años del siglo XVII, existían 138 curatos situados en los pueblos cabeceras; cada uno de los cuales tenía definida su región, integraron desde el siglo XVI, el antecedente de lo que llegaría a formar nuestro actual estado.

En la información que presenta Antonio de Villaseñor y Sánchez en su obra *Teatro mexicano,* en 1750, menciona los curatos de la diócesis de Puebla-Tlaxcala: el de la Ciudad de Tlaxcala; Apan y Acayuca en el actual estado de Hidalgo; Orizaba, Córdoba, Cotaxtla, Veracruz, Ulúa, Misantla, Xalapa, Papantla, Cozamaloapan y Huayacocotla, en Veracruz; Tixtla, Juxtlahuaca e Iguala, en Guerrero; Huajuapan, en Oaxaca; y Xonotla, Tepeji de la Seda, Huejotzingo, Izúcar, Atlixco, Tehuacán, Cholula, Puebla, Zacatlán de las Manzanas, San Juan de los Llanos, Huauchinango, Tetela, Tecali, Huatlatlauca, Chiautla de la Sal y Acatlán, en Puebla. Además, en esta relación se mencionan otros

Escudo de la Ciudad de Huejotzingo

pueblos menores con pocos habitantes.

Algunos pueblos al tener mayor importancia y población, como ya vimos, fueron asignados cabeceras y alcaldías mayores o ciudades y, por tanto, también curatos. Así, tenemos que Huejotzingo había alcanzado el rango de ciudad, con escudo, desde 1532; la población de Tepeaca recibió el título de ciudad y un escudo de armas el 20 de febrero de 1559; Atlixco, pueblo habitado por españoles obtuvo el título de Villa de Carrión y fue nombrada alcaldía mayor en 1579; recibieron la designación de alcaldía mayor Piaztla en 1558 e Izúcar hacia 1560. Otro ejemplo lo fue Teziutlán, "lugar donde graniza", que por orden del rey español, Felipe II, se le señaló como principal de otros cuatro pueblos: Mexcalcuautla; "Monte de los Magueyes", en el cual había riqueza mineral; Acateno, "cañas junto al agua", porque las aguas del Río Xoloatl atraviesan la región; Chignautla, "los nueve manantiales", del que se aprovechaba la riqueza forestal; y Xiutatelco, "adoradores del fuego" por la lava que llegó a esta zona.

Debido a lo insalubre del terreno donde se asentaba el antiguo poblado de Tehuacán, los frailes, en 1570, adquirieron terrenos para trasladar la población al sitio que hoy ocupa. Al lugar se le conocía como el "izotal", porque estaba cubierto por izotes (yucas). Se trazaron las calles, dejando un cuadrado de 300 varas por lado (250.8 m) destinado a plaza de mercado. La alcaldía mayor de Tehuacán ocupaba hasta Teotitlán del Camino, Tecali, Chichiquila, Quimixtlan, Tuxtepec, Tecomavaca y Quiotepec (hoy en Oaxaca). A la población de Tehuacán se le otorgó el 16 de marzo de 1660, el título de

Escudo representativo de Tepeaca

Ciudad de Indios de Nuestra Señora de la Concepción y Cueva, además de un escudo.

Con el establecimiento de las intendencias en 1786, las jurisdicciones de los curatos quedaron integradas a un territorio determinado estableciéndose, de esta forma, el marco geográfico de nuestra entidad. Así, algunas poblaciones importantes fueron anexadas a las intendencias de Veracruz, como Orizaba, Córdoba y Xalapa; otras, a la de Oaxaca, como Huajuapan y Juxtlahuaca y, algunas más, pasaron a la de México. Por algún tiempo, como parte de la intendencia de Puebla quedaron los curatos de Tlaxcala y Cuautla de Amilpas. Más tarde, el 2 de marzo de 1793, el rey concedería autonomía a Tlaxcala con gobierno propio; y Cuautla de Amilpas, en 1792, pasaría a formar parte de la intendencia de México.

En 1806, el intendente de Puebla, Conde de la Cadena, señalaba que la intendencia de Puebla, en importancia, era la segunda del reinado y que comprendía cinco ciudades, una villa, 607 pueblos, 133 parroquias, 425 haciendas, 886 ranchos, 7 estancias de ganado, 21 conventos de religiosos, 12 de monjas, 4 colegios de hombres, 5 de mujeres y 5 hospitales. Afirmaba que el total de sus habitantes, según los últimos censos, era de 508 028 personas.

Gran parte de estas poblaciones, existentes desde la época prehispánica y densamente pobladas, durante la administración virreinal, sufrieron profundas transformaciones, tanto en su desarrollo material como en su forma de vida. Se constituyeron, junto con la división política del gobierno, como antecedente de lo que sería el estado.

Escudo de Tehuacán

La creatividad en la piedra y en la tela

La conquista militar de los españoles, la política de asentamiento y principalmente la introducción de la cultura europea, fueron los factores que destruyeron, en gran parte, la religión y las manifestaciones artísticas de los indígenas.

Los españoles impusieron su cultura. Utilizaron en sus construcciones el material con que estaban hechos los templos prehispánicos. Ejemplo de ello son los conventos e iglesias edificados sobre las pirámides, muestra de esta dominación cultural y religiosa, es la pirámide de Cholula sobre la que fue edificada una iglesia.

El esplendor del arte poblano se evidencia en la arquitectura colonial, como muestra de ello tenemos el convento de San Francisco en Atlixco, construído entre 1551 y 1571. En esta obra participaron fray Toribio de Benavente, Juan y Catalina Pérez Romero, Pedro Castillo, fray Alonso de Buen Día y fray Juan de Alameda. Las edificaciones religiosas de Atlixco guardan como principal característica, un gran parecido entre sí. En ellas, los elementos arquitectónicos están trabajados con una gran cantidad de argamasa (arena fina con cal), con la que se hacían motivos vistosos y relieves de figuras.

El desarrollo de la arquitectura en Atlixco se explica por el auge económico de la región derivado de

Iglesia de San Francisco, en Atlixco

Convento de San Francisco, en Huejotzingo

la agricultura a gran escala.

En la zona suroeste de Puebla, encontramos cuatro iglesias ubicadas en Jolalpan, Santa Ana Jolalpan, Tzicatlán y en Tlancualpicán, en las cuales los indígenas dejaron constancia de su gran capacidad escultórica. Así, en la fachada de estos edificios, se encuentran los ejemplos representativos del arte barroco. Tienen un gran parecido en sus labrados, tanto los elementos decorativos como la forma en la que son integrados los símbolos representados. Se supone que el parecido de las fachadas se debió a un modelo que vino de Europa, el cual fue tomado como ejemplo para la Iglesia de Tepalcingo, en Morelos.

Las esculturas y relieves de los personajes que se ven, expresan una pequeña historia sobre pasajes de la religión.

En la iglesia de Jolalpan, destacan figuras que representan al sol, la luna, al león, el toro y cabezas de águilas. El templo de San Lucas Tzicatlán llama la atención por sus esculturas y ángeles.

En el Santa María Tlancualpican, se advierte un labrado laborioso, tanto en las columnas como en el espacio que hay entre ellas; y en el de Santa Ana Jolalpan podemos admirar sus pinturas.

En Huejotzingo se halla una iglesia con un gran atrio o explanada compuesto de cuatro "capillas posas" labradas, que se localizan en sus esquinas; en ellas hay varias imágenes, escudos, ángeles y decoración con motivos de plantas y flores. El convento tiene como ornamentación pinturas murales que hacen referencia a pasajes de la Biblia. Las pinturas tenían el fin de ilustrar al indígena en cuestiones religiosas. Esta iglesia como la de San Andrés Calpan, San Francisco de Tepeaca y la de San Martín Huaquechula, contienen manifestaciones del arte barroco en los retablos, arte que predominó durante los siglos XVII y XVIII. Un ejemplo característico en nuestra entidad, es el retablo que se encuentra en la Iglesia de San Juan Bautista de los Llanos, en la Villa de Libres. Obra arquitectónica hecha en la primera mitad del siglo XVIII, utilizando como material, madera de ciprés. La decoración es muy rica pues contiene varias esculturas y en sus labrados se representan hojas, flores, uvas, manzanas, piñas, etcétera.

Respecto a la arquitectura civil existen varias casas que conservan decoraciones de animales y flores. En la Ciudad de Puebla se encuentran las de Tomás de la Plaza, las Cabecitas, la casa del que mató al animal, etcétera.

Existen pocas pinturas, en su mayoría están plasmadas en tela, guardan un gran valor tanto por su calidad como por su antigüedad. Una de las mejores y más antiguas de México es la del retablo del altar mayor de la Iglesia de Cuautinchan, de Juan Arrue, que data de 1570 y otra la de Santiago Tecali. En Huejotzingo hay muestras artísticas del pintor Simón Pereyns y del escultor Pedro de Requeme.

Algunas pinturas presentan varios símbolos y signos prehispánicos, como la vírgula del medallón del claustro bajo, de Huejotzingo; o bien la representación de un águila y un tigre es una de las pinturas que se encuentra en el claustro del Convento de Cuautinchan. Hay que tener en cuenta que el águila representa a Hutzilopochtli y el tigre a Tezcatlipoca, lo que nos hace suponer que representan una guerra sagrada.

El arte barroco predominó en la arquitectura colonial

En Huatlatlauhca, destacan en la puerta de una casa, motivos prehispánicos; en la base de la torre del templo y en el bajo coro de la Iglesia de Tecamachalco, que data de la segunda mitad del siglo XVI, su autor fue un indígena llamado Juan Gerson —"el tlacuilo (dibujante) de Tecamachalco"— y es aquí donde radica la importancia de sus obras, porque representan las tradiciones pictóricas indígenas, tanto en la forma del dibujo como en el color utilizado.

El material que utilizó Gerson fue papel amate, que después de pintarlo, lo pegó en la bóveda. Su obra comprende 28 pinturas que hacen referencia a temas religiosos, entre ellas se encuentran el "Arca de Noé", La "escala de Jacob", "Los cuatro jinetes del Apocalípsis", La "mujer vestida de sol y de dragón", etcétera.

También hubo varios pintores que dejaron plasmada su obra, como lo fueron Luis Lagarto, —que decoró los libros del coro de la Catedral de Puebla— Jerónimo Farfán; Nicolás de Texada y Francisco de Morales. Pero también hubo pintores poblanos, ya fueran nativos o vivieran en el estado, como Gaspar Conrado quien hizo las pinturas que decoran el templo de San Agustín de Puebla; José del Castillo que realizó la pintura de San Francisco de Asís, que se encuentra en la Iglesia de San Francisco; en la sacristía del mismo lugar también existe una obra de Cristóbal de Talavera; Juan de Villalobos que hizo algunas pinturas para la Iglesia de la Compañía; de Pascual Pérez a quien se le apodó el "mixtequito", se conservan, en el Colegio del Estado, de ocho a diez lienzos de sus obras; y Francisco Xavier de Salazar quien con sus obras decoró el Convento de San Agustín.

Catedral de Puebla

Artesanía de un pueblo

En el obispado de Puebla-Tlaxcala destacó, notablemente, la escultura. Por ejemplo, la que crearon los indígenas, dirigidos por los frailes. En este tipo de escultura se nota la intervención del aprendiz, del oficial y del maestro para esculpir una sola pieza. Prueba de ello son los labrados de Acatzingo, Coxcatlán, Huaquechula, Huatlatlaucha, Tecali, Tecamachalco, Tochimilco, Zoyatitlanapa. Otras muestras las constituyen los famosos "tríos" de Santa Ana y la Virgen del Niño que están en la iglesia de Santa Mónica y en la de Cuautinchan. Entre otros destacan, los escultores José Antonio Villegas de Cora (1713-1785) y Zacarías Cora (1752-1819).

En algunos casos, los escultores también emplearon la lengua náhuatl para atestiguar su presencia en diversas obras. Por ejemplo, en las lápidas de la tapia conventual de Huaquechula, donde aparecen nombres de pueblos y de artistas; o en la puerta de la Iglesia de Coxcatlán en la cual hay una leyenda escrita en náhuatl.

Puebla es una entidad en que las artesanías han tenido gran auge

Desde época prehispánica, el trabajo artesanal de Puebla es importante

desde la época prehispánica. Rica en recursos naturales y humanos, mostró una fina sensibilidad y tradición artística al utilizar todo tipo de materiales. Los artesanos poblanos han producido buenas obras en la cerámica así como en el trabajo textil; usaron algodón, lana y seda. Descendientes de los viejos alfareros indígenas, aprendieron rápidamente las técnicas para hacer las lozas y porcelanas finas como las que llegaban de España y de China. El Galeón de Manila llevó a Acapulco, junto con la seda, marfil y metales preciosos, a numerosos artesanos llamados "sangleyes", quienes laboraron en los talleres de Puebla y enseñaron sus artes y técnicas a los trabajadores poblanos. De España provinieron formas y estilos que originaron la llamada loza de Talavera. La industria de los azulejos imitaba a los sevillanos y valencianos, como los del Convento de Santa Rosa en la Ciudad de Puebla.

Uno de los mejores trabajos realizados en Talavera se hizo en el templo de San Francisco Ecatepec, población situada a unos 10 km de la Ciudad de Puebla. Se afirma que el templo parece haber salido como una sola pieza del horno del alfarero. La fachada, como los elementos arquitectónicos que la componen —columnas, capitales, cornisas, molduras— se encuentran

Los "sangleyes" enseñaron sus artes y técnicas a los trabajadores poblanos

revestidos de mayólica (azulejo con esmalte metálico); se acentúa por las combinaciones de estuco, cantera y el color de la piedra de las escultura.

En otras palabras, el azulejo, durante la segunda mitad del siglo XVIII, tuvo mucha importancia; se empleó tanto en el exterior como en el interior de los edificios; en fachadas, pisos y techos. Cubrió grandes paredes en combinación con losetas de barro, o bien en tableros con imágenes de santos y motivos heráldicos. Múltiples inscripciones fueron labradas en azulejos, como la que se halla en el pueblo de Trinidad Tepango, casi a un kilómetro de Atlixco por la Carretera Panamericana, en la cual se puede leer: "En el año de 1776, el trece de marzo, fue el entierro de Pedro Antonio Atequaotla, organista que fue de este dicho pueblo de Santa María Tonantzintla".

El hierro fue traído de España. En Puebla Surgieron notables herreros que lo mismo fabricaban herramientas de trabajo y cerraduras, llaves y otros objetos menores, que espléndidas rejas para balcones o iglesias, como las de la Parroquia de Analco, las rejas de la Catedral, y las de la Compañía de Jesús. En esto sobresalió el maestro Roque de Illescas. El hierro, mezclado en diversas proporciones con otros metales, permitió la elaboración de objetos necesarios en la charrería, como espuelas, frenos y estribos. Amozoc heredó esta industria; sus productos son muy apreciados en todo el país.

Otros metales en combinación con el bronce fueron muy bien trabajador por los artesanos poblanos. Para adornar las puertas de cedro blanco, se elaboraron llamadores, bocallaves y también se fundieron campanas de sonoridad extraordinaria, así como candeleros para las iglesias, grandes lámparas, rejas y objetos religiosos: tabernáculos, ramilletes y aun estatuas de santos.

En el trabajo de la madera, destacaron ebanistas y ensambladores. Muebles de todos los estilos, elaborados con las más ricas maderas, constituyeron el notable mobiliario poblano. Destaca en este aspecto la técnica de la marquetería, es decir la incrustación de distintos tipos de madera en un mueble, o bien de otro tipo de material: marfil, carey o hueso. Muestras de la marquetería poblana son la sillería del coro de la catedral, las mesas de la biblioteca palafoxiana con su cubierta de tecali o alabastro y gran número de muebles que se encuentran en museos y ricas colecciones.

El tecali fue utilizado durante la época prehispánica, pero durante la Colonia adquirió mayor importancia. fue utilizado tanto en la arquitectura como en el juguete. El nombre regional de la piedra pasó al vocabulario español.

Mariano Fernández de Echeverría y Veytia menciona en su obra *Historia de Puebla* que, aproximadamente a 30 km de la Ciudad de Puebla, existe una mina de alabastro y por estar en la zona de Tecali se le conoce a la piedra por el mismo nombre del lugar. Es blanca, con vetas de color y de gran resistencia; por tanto, se puede labrar y pulir.

La primera vez que se utilizó el tecali, fue para adornar la portada y el balcón de la casa de Diego Páez Tenorio, en la Ciudad de Puebla. Tanta importancia tuvo este hecho, que a la calle donde se localizaba la construcción le nombraron "Tecali".

La presencia del tecali destaca en el "altar de los reyes" en la Catedral de Puebla; en el retablo de la capilla de San José Chiapa; o los vidrios llamados "transparentes" que se pusieron en las ventanas de Santo Domingo o el de la capilla de Dolores de Acatzingo.

En 1640 Juan Blanco de Alcázar estableció un taller de grabado. Cinco años más tarde talló y grabó en madera el escudo de la Ciudad de los Ángeles, mismo que se utilizó en un folleto que fue impreso por Manuel de los Olivos en el año de 1645.

A partir de esa fecha, se siguieron imprimiendo libros en los cuales aparecían grabados de escudos de armas, yelmos, coronas, títulos nobiliarios, blasones, etcétera. Pero a finales del siglo apareció en Puebla, Miguel Amat, primer grabador de lámina que hizo unos escudos en bronce; le siguió José Ortiz Carnero que grabó en Atlixco un plano de la Ciudad de Puebla. Por último, uno de los grabadores más reconocidos en este oficio fue José de Nava; quien hizo varias obras entre ellas, y como principales, un plano de la Nueva España y la vida de Santa Rosa de Viterbo, desarrollada en 33 láminas.

El trabajo en madera es otro oficio artesanal de gran tradición

Un mosaico de leyendas

La cultura popular en la época colonial se extendía a través de lo que contaban los padres a los hijos. En muchos de los casos las tradiciones se fueron modificando, porque se explicaban de otra forma o se enriquecían con datos y acontecimientos ficticios. Así, por medio de leyendas que hoy día nos parecen cuentos, conocemos historias de amor, de personajes relevantes, de casas, de calles, etcétera.

En todos los estados que conforman nuestro país existen muchas leyendas. En la Ciudad de México, la de La Llorona; en Guanajuato, la del Callejón del Beso; en San Luis Potosí, la de Real de Catorce y muchas más. En nuestra entidad se cuentan muchas de ellas, pero sólo mencionaremos algunas.

La leyenda del Idilio de los volcanes se remonta a la época prehispánica pero se difundio principalmente durante la Colonia. Cuenta la leyenda que Iztaccíhuatl, hija de un señor poblano se enamoró de un guerrero, de nombre Popocatépetl. Al pasar el tiempo el señor dijo al guerrero que si deseaba tener por compañera a su hija, tenía que vencer al jefe de los enemigos de su pueblo. Popocatépetl se preparó con hombres y armas, y fue a la guerra. Ésta duró varios años hasta que logró vencer al enemigo. Regresó a su pueblo y ofrendó a su señor el cuerpo del vencido pidiendo en recompensa a Iztaccíhuatl, pero ésta hacía tiempo que había muerto.

La leyenda de El Idilio de los volcanes prevalece todavía en la tradición oral

Casa del Alfeñique

Popocatépetl, para honrarla y a fin de que permaneciera en la memoria de los pueblos, mandó que 20 000 hombres construyeran un cerro. Después, la tendió en la cumbre y quedó de pie junto a ella, alumbrándola con una antorcha encendida. Desde entonces a Iztaccíhuatl se le conoce como "mujer blanca", y a Popocatépetl como "montaña que humea".

México es un país que tiene una gran tradición dulcera, cada uno de sus estados destaca en uno o varios de los muchos dulces que hay. En nuestra entidad se produce una gran variedad. La mayoría de ellos provienen de recetas coloniales.

La dulcería poblana se ha distinguido por los polvorones, condumbios, alfajores en figurillas (pasta de maíz molido con panela y canela), pepitorias, obleas con miel, pepitas de calabaza, buñuelos, suspiros de monja, muñecos de almendra, mamones, soletas, cubiletes, borrachos, gaznates, tortas de piñón, frutas de cristal, natillas, jamoncillos de pepita de melón, muéganos de vino, turrón de cacahuate, yemitas de huevo, alfeñique, macarrón, tortitas del cielo, etcétera, hasta llegar a los camotes de Santa Clara, o camotes poblanos.

Los dulces poblanos fueron y han sido tan aceptados, que durante la Colonia se construyó un edificio imitando en sus adornos a los alfeñiques, dulces de pasta de azúcar con aceite de almendras. De aquí que a este edificio se le llamara Casa del Alfeñique.

Respecto a la historia del camote sabemos que hay dos versiones. La primera cuenta que en un pueblo, cerca de la Ciudad de Puebla, había un convento de monjas dedicadas a la enseñanza para niños. Cierto día, una de éstas ideó gastar una broma a una monja que tenía una olla al fuego. Para hacerlo cogió un camote, lo echó a la olla, lo revolvió con azúcar y lo batió para que se formara una masa que fuera difícil de quitar a la hora de lavar. Al poco rato llegó la monja, probó la revoltura y le gustó. De esta forma se hizo el dulce de camote. La otra versión cuenta que de Oaxtepec, (en el actual estado de Morelos), llegó una muchacha llamada María Guadalupe, con el fin de ordenarse en el convento de Santa Clara de Jesús. Cierto día, pensó enviarle un regalo a su padre, fue a la huerta del convento, recogió algunos camotes y los coció. Los revolvió con azúcar, raspadura de limón e hirvió todo hasta formarse una masa. La retiró de la lumbre, esperó a que se enfriara e hizo con ella dos cilindros de dos centimetros de diámetro por 15 de largo. Esperó a que se secaran, los envolvió con papel y los envió a su padre.

4

En busca de la soberanía

El despertar novohispano

La lucha por la libertad

Consumación de la Independencia

Se establece la República Federal

Los años difíciles

Invasión norteamericana

Guerra de Reforma

La intervención francesa

La batalla del 5 de mayo

Restauración de la República

El despertar novohispano

A fines del siglo XVIII, las relaciones entre las colonias y España se volvían cada vez más difíciles. Los efectos de las reformas borbónicas hacían evidente que la Corona sólo se interesaba por su bienestar y dejaban de lado las aspiraciones de las colonias. Esto trajo como consecuencia, que empezaran a pensar en la posibilidad de independizarse de la metrópoli.

Al iniciarse el siglo XIX, la organización económica, social y política de la Nueva España reflejaba profundas deficiencias, como resultado de un sistema decadente.

Durante los tres siglos de dominación colonial, las protestas y rebeliones de los grupos inconformes fueron constantes.

Dentro de la economía, el obstáculo principal era el latifundio, las propiedades en manos muertas, las contribuciones exageradas y las prohibiciones para elaborar productos manufacturados.

El grupo español controlaba los cargos más importantes del ejército, de la iglesia, del gobierno, y de la economía. En una situación intermedia se encontraban los criollos, quienes ocupaban cargos administrativos menores y estaban interesados en dirigir el gobierno y la economía. Por último, estaban los indígenas y las castas que conformaban la mayoría de la población; se hallaban en una situación de completa miseria y fueron víctimas de constantes atropellos.

A partir de estas desigualdades, un creciente descontento fue preparando el terreno para iniciar la lucha independentista.

En 1808, las autoridades del Ayuntamiento de la Ciudad de México promovieron una reunión con el propósito de cuestionar la legitimidad del gobierno virreinal, ya que España estaba invadida por las fuerzas de Napoleón Bonaparte; éste impuso a su hermano José, como gobernante de aquella nación.

En esta junta, el licenciado Francisco Primo de Verdad, síndico del Cabildo de la Ciudad de México, manifestó el deseo de formar un gobierno independiente en la Nueva España.

Hidalgo encabezó la conspiración insurgente

Como consecuencia, fueron aprehendidos Primo de Verdad, Juan Francisco Azcárate y el fraile Melchor de Talamantes. El arresto de tales personajes no disminuyó el entusiasmo de todos aquellos que anhelaban una transformación social.

En febrero de 1810 era ya tan evidente el descontento, que un grupo donde destacaban el cura Miguel Hidalgo así como los militares Ignacio Allende e Ignacio Aldama, decidieron reunirse en Querétaro con el propósito de organizar la lucha. En la reunión, los insurgentes acordaron nombrar a Hidalgo, jefe del movimiento independiente, y señalaron la fecha del 10 de diciembre para iniciar las hostilidades. Sin embargo, la conspiración fue descubierta y los acontecimientos se precipitaron.

En la madrugada del 16 de septiembre de 1810, el cura de Dolores, Miguel Hidalgo, reunió a un contingente y de inmediato inició la lucha. Meses después, Ignacio Allende, colaborador de Hidalgo, asumió la responsabilidad del movimiento.

Manuel de Flon, intendente de Puebla, fue comisionado para combatir a los insurgentes en El Bajío, dándole apoyo al comandante de las fuerzas realistas (es decir, adeptos al rey), Félix María Calleja.

Las noticias sobre la insurrección se propagaron por toda la Nueva España. En la intendencia de Puebla, por los rumbos de Tehuacán, la gente se reunía en las calles cada semana para leer *La Gaceta,* periódico a través del cual se conocían los acontecimientos de

la lucha iniciada por Hidalgo. La inquietud de la población cobró mayor fuerza a mediados del año de 1811, cuando las noticias llegaban con más insistencia.

Poco después, en un lugar cercano a Zacatlán, se formaron tropas en favor de la insurgencia jefaturadas por José Francisco Osorno, oriundo de Chignahuapan, quien ocupó la Plaza e hizo de aquel lugar un cuartel insurgente. Posteriormente llegó a Zacatlán, al frente de un contingente, el mariscal de campo insurgente Mariano Aldama, quien de inmediato se puso en contacto con Osorno.

Para financiar la guerra contrainsurgente, se presionó más al pueblo cobrándole fuertes impuestos, los cuales iban destinados a pagar alimentación, vestuario y armas de la tropa. El pago de estos impuestos trajo consigo un gran descontento, ganando para la causa independentista un número mayor de adeptos.

El levantamiento armado pronto se extendió a otras regiones. En el lugar conocido como la Bovedilla, cerca de Huauchinango, fue organizado un contingente que apoyó el movimiento. Allí, los insurgentes libraron una batalla contra las fuerzas realistas del comandante Saturnino Samaniego. A este lugar se le conoce, desde entonces, con el nombre de las Bóvedas de Huauchinango.

Las autoridades novohispanas, preocupadas por la situación, comisionaron al capitan Ciríaco Del Llano para combatir a los rebeldes. Del Llano marchó hacia Tetela, población que se encontraba en poder de los insurgentes.

El amago de poblaciones fue constante

Poco después, Eugenio Montaño, Vicente Beristain y Miguel Serrano, se incorporaron al contingente de Osorno, no sin antes haber insurreccionado por los Llanos de Apan y el Valle de Tulancingo (ambos en el actual estado de Hidalgo); aunque su base de operaciones fue la Sierra Norte.

En diciembre de 1811, el cura José María Morelos y Pavón, a quien Hidalgo confió extender la lucha por las provincias del sur, llegó a Izúcar; aquí, el cura Mariano Matamoros decidió incorporarse al movimiento. Morelos le dio el grado de coronel. De allí mismo, Matamoros envió una carta a José Perdiz, subdelegado de Jantetelco (hoy en el estado de Morelos) y al vicario Matías Zavala, para que insurreccionaran en esa población

En el mismo mes de diciembre, llegó a Izúcar una partida de realistas al mando del coronel Soto Macedo con la misión de someter a los rebeldes. Lejos de apaciguarse, reanudaron la lucha con más bríos, gracias al apoyo de Leonardo Bravo y de su Hijo Nicolás. En el enfrentamiento Macedo resultó herido y ordenó la retirada.

Al mismo tiempo, por los rumbos de Cipiapa, población cercana a Tehuacán, un grupo de guerrilleros insurgentes, jefaturados por el coronel Figueroa, amagaba la región.

Corría el año de 1812, cuando el cura de Tlacotepec, José María Sánchez, se incorporó al levantamiento y sitió a los realistas en Izúcar.

Poco después, las fuerzas insurgentes en territorio poblano recibieron un nuevo impulso con la llegada de un contingente que jefaturaban Antonio Bocardo, Máximo Machorro, Camilo Suárez y Juan Nepomuceno Rossains.

Una vez que los rebeldes propinaron un serio descalabro a las fuerzas realistas del teniente Del Llano, se encaminaron rumbo a Tepeaca y luego, marcharon hacia Tecamachalco. En el mes de agosto del mismo año, Morelos llegó a Tehuacán, donde otorgó el grado de general en jefe a Nicolás Bravo. Tehuacán fue una plaza que, por mucho tiempo, permaneció en poder de los insurgentes.

Morelos, avisado de la proximidad de una partida realista al mando del capitán Juan Labaqui, ordenó a Bravo que se trasladara a San Agustín del Palmar, lugar donde aquéllos se encontraban. En la madrugada del día 18 de agosto, los insurgentes sorprendieron a las huestes realistas; en las acciones, Labaqui perdió la vida. En memoria de aquel acontecimiento, dicha población se llama, ahora, Palmar de Bravo.

Poco después, reanudaron la marcha rumbo al pueblo de San José Chiapa. Al coronel Valerio Trujano, Morelos le pidió obtener víveres; pero fue capturado por los realistas. Los fusilaron en el Rancho de la Virgen (cerca de Tlacotepec).

Después de estas acciones, los insurgentes se encaminaron hacia la Hacienda de Ozumba, cerca de Nopalucan, donde Morelos recuperó más de 100 barras de plata. Al mismo tiempo, la gente de Osorno recuperó Zacatlán, lugar donde establecieron su centro de operaciones.

La lucha por la libertad

Ya iniciado el año de 1813, los levantamientos populares se generalizaron por toda la Nueva España. Las autoridades virreinales, preocupadas por la incierta situación, dieron instrucciones a los jefes realistas de reforzar las persecuciones en contra de los rebeldes.

En la intendencia de Puebla, los insurgentes habían causado varios descalabros a las fuerzas realistas, sobre todo en la Sierra Norte, donde los seguidores de la insurgencia habrían establecido su cuartel.

El obispo Manuel Ignacio González del Campillo exhortaba fidelidad al rey; a tal grado, que amenazaba con la ex-comunión a aquéllos que apoyaran la rebelión insurgente. Un sacerdote de apellido Perea realizaba frecuentes viajes a Zacatlán. Al regreso de una de sus constantes visitas, el sacerdote le envió al capitán realista Del Llano, un informe detallado del estado y lugar que guardaban las fuerzas de Osorno. El realista, en su afán por capturar al popular jefe rebelde, ordenó al capitán Rubén de Celis que fuera en busca de los guerrilleros.

Osorno, enterado por uno de sus hombres sobre las intenciones del realista, se encaminó con un contingente hacia un lugar llamado Miniahuapan, donde esperó al adversario. Les causó una costosa derrota, pues sufrieron considerables bajas.

En la segunda mitad del mismo

La fabricación de armas fue necesaria para los insurgentes

año, el cura Matamoros capturó una partida realista cerca de San Agustín del Palmar, lo que provocó la renuncia del Conde de Castro.

Después de enviar a los prisioneros a Zacatura (Guerrero), Matamoros se encaminó a Tehuitzingo donde reorganizó sus tropas. En noviembre, marchó hacia Cutzamala (Guerrero). Aquí se unió al contingente de Morelos y Bravo. Formaron un ejército de más de cinco mil hombres. Los insurgentes se encaminaron hacia Valladolid (hoy Morelia); pero en el trayecto fueron sorprendidos por los realistas. En Puruarán (Michoacán), Morelos confió a Matamoros el mando de las tropas y dio la orden para que avanzara hasta la plaza en poder de los realistas. Aun cuando Matamoros consideró que estaban en desventaja, cumplió con la orden y el resultado una derrota. En las acciones, Matamoros fue aprehendido y conducido a Valladolid, donde fue fusilado el 3 de febrero de 1814.

Un mes después de la muerte del caudillo, el insurgente Ignacio López Rayón se trasladó a Tehuacáan, donde reorganizó a las tropas. Ya con el cargo militar de la suprema autoridad en las provincias de Puebla, Veracruz y Oaxaca, Rayón se encaminó a Coxcatlán, población amagada por los realistas.

El 12 de mayo, los insurgentes fueron sorprendidos en Omealca (Veracruz) y Rayón ordenó regresar a Tehuacán. Al mes siguiente, marcharon hacia Zacatlán donde establecieron un taller para la fabricación de armas. Dos semanas después, las fuerzas realistas, al mando del coronel Luis del Águila, acometieron contra las tropas de Rayón, quien se replegó a San Juan

Por instrucciones de Morelos, Matamoros insurreccionó la región poblana

de los Llanos. Al mismo tiempo, el general insurgente Vicente Guerrero incursionaba por los rumbos de Acatlán. Poco después, Rossains se enemistó con Rayón y Bustamante, y acusó a este último de conspirar en favor de los realistas.

Meses después, las fuerzas de Rossains fueron atacadas por el realista Joaquín Márquez Donallo. Derrotado Rossains, regresó a Tehuacán y ordenó que la población de Chalchicomula fuera arrasada. A su vez, las tropas de Guerrero marcharon hacia Chiautla, donde vencieron a los realistas quienes se replegaron a Izúcar.

Como Rossains seguía ocasionando dificultades entre los simpatizantes de la insurgencia, el coronel Manuel Mier y Terán lo aprehendió y lo envió al general Guadalupe Victoria quien, a su vez, lo dejó en manos de Osorno.

Rossains fue confinado a prisión. Pocos días después, escapó y le proporcionó informes al general realista Félix María Calleja sobre el estado en que se encontraban las fuerzas insurgentes.

Por otra parte, las tropas insurgentes de Mier y Terán se encaminaron hacia Tlachihuaca, donde libraron una batalla. Luego reanudaron la marcha rumbo a Teotitlán.

Cuando la seguridad del Congreso Nacional, instalado en Chilpancingo el 13 de septiembre de 1813, se vio amenazada por persecuciones realistas, los representantes del mismo decidieron trasladar los poderes a Tehuacán, población que ofrecía mayores garantías. La reinstalación del Congreso le fue encargada a Morelos, quien marchó sobre las riberas del Balsas. Pero en Temalaca (hoy Guerrero), los insurgentes fueron sorprendidos por los realistas y Morelos fue capturado.

La suerte del caudillo la decidió un tribunal militar; lo sentenciaron a la pena capital. El 22 de diciembre de 1815, el "Siervo de la Nación" fue fusilado en San Cristóbal Ecatepec (hoy estado de México).

Antes de llevarse a cabo la ejecución del caudillo, el Congreso, con muchas dificultades, llegó a Tehuacán. Al mes siguiente, Mier y Terán ordenó su disolución.

Animado por la muerte de Morelos, el coronel realista Manuel de la Concha emprendió una campaña para acabar con los levantamientos insurgentes. Al enterarse Osorno, ordenó la ocupación y destrucción de algunas

haciendas de españoles en Chignahuapan y Zacatlán.

Ya avanzado el año de 1816, los insurgentes perdieron terreno y los realistas ocuparon Tehuacán y Cerro Colorado. Dos meses después, se apoderaron de San Andrés Chalchicomula. Derrotado Osorno, se retiró a una finca que tenía por los rumbos de Zacatlán.

El movimiento emancipador recibió un renovado impulso, cuando el teniente coronel José Joaquín Herrera se unió a la lucha. Las fuerzas de Herrera se encaminaron hacia San Andrés Chalchicomula, donde amagaron a los realistas y luego, marcharon rumbo a Tepeaca población que lograron recuperar. Al mismo tiempo, Nicolás Bravo marchó a Izúcar, donde venció a los realistas.

Animados los insurgentes por este triunfo, se encaminaron rumbo a Atlixco, donde consiguieron otra victoria. Poco después, marcharon hacia Huejotzingo, donde Bravo reorganizó a sus tropas. Una semana después, las fuerzas de Herrera se unieron al contingente de Bravo y juntos se dirigieron hacia la Ciudad de Puebla, donde sorprendieron a los realistas.

Durante este período, en la intendencia de Pueba se observaba cómo las fuerzas realistas trataban de reorganizarse para aumentar los efectivos militares. Para ello, emplearon la leva, que se reclutaba en amplios sectores de la sociedad. La leva produjo angustia y terror en la gente; esto ocasionó que muchos ciudadanos se enrolaran en las fuerzas insurgentes.

José Joaquín Herrera y Nicolás Bravo tomaron Puebla en 1816

Consumación de la independencia

En 1820, un movimiento político español obligó al rey Fernando VII a restablecer la Constitución Liberal de Cádiz de 1812. Reunió, de nuevo, a las Cortes que dos años atrás había disuelto. Por ese mismo entonces, en la Nueva España se acrecentaba el espíritu de emancipación y libertad.

La decisión política del soberano causó malestar entre los españoles radicados en América, pues éstos sentían que su situación de privilegio se vería afectada. Entonces, el virrey Apodaca, que se había percatado del alcance que tuvo la noticia, ordenó hacerla cumplir en todo el virreinato.

En el mes de febrero de 1821, el general Agustín de Iturbide y el caudillo insurgente Vicente Guerrero se reunieron en una población del actual estado de Guerrero y firmaron un documento que, históricamente, conocemos como Plan de Iguala; también fue llamado de las Tres Garantías, porque los propósitos fueron: religión, unión e independencia.

El Plan fue apoyado por varios jefes realistas e Iturbide inició un recorrido con el propósito de ganar adeptos. Más tarde, ordenó a Bustamante y al general Luis Quintanar que marcharan hacia la Ciudad de México. Poco después, Iturbide estuvo en Puebla. El cura Sánchez, el mismo que había ocupado la ciudad en 1812, se levantó en armas y sorprendió al jefe realista en Tlacotepec. Al mismo tiempo, José Joaquín de Herrera se apoderó de Orizaba, desde donde solicitó la rendición de Puebla.

Como los realistas aún dudaban del éxito de la insurrección, se negaron a entregar la plaza y Herrera se encaminó a Tepeaca, donde se unió al contingente de Nicolás Bravo. El 7 de junio, las fuerzas de Herrera marcharon rumbo a Teotitlán, población que recuperaron dos días después. Finalmente, la plaza de Puebla fue ocupada por los insurgentes el 29 de julio. Ahí, por iniciativa del presbítero Joaquín Furlong se imprimió, por primera vez, el Plan de Iguala de donde circuló profusamente por todo el país.

El 19 de agosto, las autoridades

Con los tratados de Córdoba se pactó nuestra independe

de la intendencia de Puebla proclamaron el Plan de Iguala y reconocieron la Independencia de México. El Ayuntamiento dispuso que tal acontecimiento fuera celebrado con una fiesta popular. Aquí mismo, Iturbide recibió la noticia de la llegada de don Juan O'Donojú, último virrey de la Nueva España.

El funcionario novohispano se reunió con Iturbide en la Villa de Córdoba (Veracruz) el 24 de agosto. Después de las deliberaciones, O'Donojú e Iturbide firmaron los Tratados de Córdoba, en los que se reconocía la Independencia de México. Finalmente, la entrada triunfal del Ejército Trigarante a la Ciudad de México el 27 de

septiembre de 1821, consumó la lucha libertaria de la nueva nación. Todos los mexicanos confiaban en que la separación de España traería progreso y felicidad.

Una vez consumada la Independencia, fue planteada la necesidad de organizar política y económicamente al país. Se formó una Junta Provisional Gubernativa integrada por 38 miembros, en su mayoría llamados por Iturbide. La Junta de Gobierno redactó la Declaración de Independencia. Entonces, la Junta acordó establecer una Regencia presidida por el mismo Iturbide; encargó la presidencia de la Junta al obispo de Puebla Antonio Joaquín Pérez.

Ya iniciado el año de 1822, un sector de la opinión pública manifestó su oposición contra la idea de establecer una monarquía en México. Entre los inconformes se encontraban Guadalupe Victoria, Nicolás Bravo y Miguel Barragán.

El 24 de febrero de 1822, fue instalado el Congreso Constituyente; de inmediato, declaró que la soberanía de la nación residía en él mismo. Las opiniones de los miembros del Congreso estaban divididas y algunos diputados se pronunciaron en favor de la república.

Iturbide, para ser proclamado emperador, tenía la resistencia tanto del Congreso como de la Regencia . Con la colaboración del sargento Pío Marcha y del coronel Epitacio Sánchez, inició un movimiento que más tarde lo llevaría a ser emperador de México; acto que se llevó a cabo el 21 de julio en la catedral, ante la presencia de los obispos de Puebla, Guadalajara, Oaxaca y Durango.

Se establece la República Federal

Después del pronunciamiento de Iturbide como emperador de México, la paz que todos deseaban no llegó. Pronto aumentó el descontento de la oposición.

Para solucionar los múltiples problemas administrativos y financieros, Iturbide exigió préstamos forzosos a la iglesia. Con el fin de acallar a los inconformes, varios diputados fueron encarcelados. Poco después, Iturbide decretó la disolución del Congreso.

Como resultado de la intranquilidad que generaron estas medidas, el gobernador general de Veracruz, Antonio López de Santa Anna, se rebeló y se pronunció en favor de la república. Al levantamiento santannista, se unieron Vicente Guerrero, Nicolás Bravo y Guadalupe Victoria. Más tarde, los sublevados proclamaron el Plan de Casa Mata, junto con los generales Echavarri y Cortázar. En el documento se exigía la instalación de un nuevo Congreso Constituyente.

El 26 de febrero, el Plan fue proclamado en Puebla. Una semana después, Iturbide decretó la

Iturbide logró ser coronado primer emperador de México

instalación del nuevo Congreso en la Ciudad de México. Los representantes de Puebla se negaron a reconocer la legitimidad del Congreso, a menos de que Iturbide abandonara la capital del imperio. El 19 de marzo de 1823, Iturbide presentó su renuncia; un poco más tarde, marchó hacia Europa.

A la salida de Iturbide, se instaló en la Ciudad de México un gobierno provisional presidido por Guadalupe Victoria, Nicolás Bravo y Pedro Celestino Negrete. Meses después, el Congreso aprobó el acta para la promulgación de la primera Constitución Federal de los Estados Unidos Mexicanos, firmada el 4 de octubre de 1824. En la misma, se estableció que la Nación Mexicana quedaba integrada por 19 estados y cuatro territorios, y que su sistema de gobierno sería republicano, representativo y popular.

Por el estado de Puebla acudieron a este Congreso, los diputados: Mariano Barbosa, José María de la Llave, Rafael Mangino, José de San Martín, José María Jiménez, José Vicente de Robles, José Mariano Marín, Alejandro Carpio, José Rafael Berruecos, José Mariano Castillero, José María Pérez, Mariano Tirado, Ignacio Saldívar, Juan de Dios Moreno, Juan Manuel

El destierro de Iturbide fue irremediable

José María Calderón, primer gobernador poblano

Irrizarri, Manuel Wenceslao Gasca y Bernardo Copeo.

El 18 de marzo de 1825, fue instalado en la Ciudad de Puebla el Congreso local para redactar la Constitución que regiría a nuestra entidad.

El 7 de diciembre del mismo año, los diputados Antonio María de la Rosa, Antonio Díaz, Manuel de los Ríos, José María Oller, Antonio Manuel Montoya, Rafael Francisco Santander, Apolinar Zacarías, Carlos García, Félix Necoechea, Antonio José Montoya, Mariano Garnelo, Patricio Furlong, Joaquín José Rosales, Rafael Adorno y Joaquín de Haro y Tamariz, rubricaron el histórico documento que promulgó el general José María Calderón, primer gobernador constitucional del estado.

Esta Constitución señaló en su artículo primero como partidos integrantes del estado: Acatlán, Amozoc, Atlixco, Chalchicomula, Ciautla, Chicontepec, Chietla, Cholula, Huauchinango, Huejotzingo, San Juan de los Llanos, Izúcar, Ometepec, Puebla, Tecali, Tehuacán, Tepeaca, Tepeji, Tetela, Teziutlán, Tlapa, Tochimilco, Tuxpan, Zacapoaxtla y Zacatlán. De estos partidos, los de Ometepec y Tlapa se separaron más tarde de Puebla. para incorporarse al estado de Guerrero.

Esta Constitución, que siguió en su mayor parte los lineamientos de la Constitución Federal, fue reformada en junio de 1831.

Con el establecimiento de la República, se impulsó la agricultura, la industria y el comercio. El gobierno de la entidad proporcionó facilidades a los ganaderos para aumentar la producción de carne, compró la industria textil y rehabilitó el Puerto de Tuxpan para incrementar su comercio. Se ocupó de la educación y con este fin, fue fundada la Academia Médico-Quirúrgica. Se impulsaron los estudios de Derecho y Ciencias Naturales. Se estableció una biblioteca en el Palacio del Congreso y una sala pública de lectura.

La enseñanza elemental se incrementó; fueron iniciados estudios estadísticos de los recursos del estado. Se mejoró el hospicio; las prisiones fueron reorganizadas para convertirlas en centros de trabajo.

Con el establecimiento de la primera República Federal, aparentemente había llegado la paz que todos deseaban. Sin embargo, pronto aparecieron dificultades entre los federalistas y centralistas. Los primeros apoyaron la Constitución y la creación de estados libres y soberanos; los segundos, además de oponerse a los deseos de los federalistas, se pronunciaron en favor de una república central para dirigir política y administrativamente a la nación.

Puebla se convirtió en capital de estado desde 1824

Los años difíciles

De acuerdo a las elecciones de 1824, Guadalupe Victoria y Nicolás Bravo fueron elegidos primer presidente y vicepresidente de México, respectivamente.

La elección de Victoria causó malestar entre los centralistas, de manera que el general Melchor Múzquiz organizó a los inconformes en Izúcar, Ometepec y Tlaxcala. Instaló en Puebla una junta de gobierno integrada por el gobernador Joaquín Haro y Tamariz, el obispo Antonio Joaquín Pérez y el propio Múzquiz. Al difundirse la noticia de la rebelión, el gobierno federal comisionó al general José Joaquín Herrera para someter a los sublevados. Las tropas de Herrera sitiaron la Ciudad de Puebla y sorprendieron a los rebeldes, quienes se replegaron en los fuertes de Loreto y Guadalupe.

En septiembre de 1828, el Congreso Nacional declaró presidente de México a Manuel Gómez Pedraza; dos semanas después, el general Santa Anna se levantó en armas y se pronunció en favor de Guerrero.

A la rebelión santannista se unieron los generales Juan Álvarez en Acapulco y José María Lobato. Al frente de un contingente marcharon a la Ciudad de México y ocupó el edificio de La Acordada.

Convencido de que había perdido todo apoyo, Gómez Pedraza renunció a la presidencia y marchó hacia Europa. Nuevamente, el Congreso se reunió y declaró a Vicente Guerrero presidente de México y al general Anastasio Bustamante, vicepresidente. Esto sucedía el 12 de enero de 1829; tomaron posesión el día 1o. de abril de ese mismo año.

Antes de finalizar el año de 1829, Bustamante dio a conocer el Plan de Jalapa; en él era desconocido Guerrero. Así, logró su propósito de llegar a la presidencia.

Durante el gobierno de Bustamante, fue reorganizada la hacienda pública. Se impulsó a la agricultura. No obstante, los levantamientos continuaron. En Puebla, el gobernador de la entidad, Juan José Andrade, aprehendió a Rossains, a Cristóbal Fernández y a Francisco Victoria; los acusaba de iniciar una rebelión en

Valentín Gómez Farías

Atlixco, Izúcar y Chalchicomula.

Como Bustamante consideró que Guerrero todavía tenía fuerza y popularidad, ordenó su captura. Fue lograda por la traición del comerciante genovés Francisco Pícaluga, quien lo entregó al capitan Manuel González. Guerrero fue conducido a Oaxaca, donde un tribunal lo acusó del delito de conspiración y lo sentenció a morir. La ejecución del caudillo se llevó a cabo el 14 de febrero de 1831, en Cuilapan (Oaxaca).

La muerte de Guerrero acentuó el descontento de la oposición y meses después, el general Santa Anna, que ya había participado en otros movimientos, se levantó en armas allá en Veracruz. Pronto, la rebelión santannista se extendió a varios estados. En Puebla, las fuerzas del general Facio fueron sorprendidas por las tropas santannistas en San Agustín del Palmar y se apoderaron de Puebla, que era defendida por el gobernador Andrade.

La segunda administración de Gómez Pedraza duró tres meses, del 3 de enero de 1833 al 1o. de abril de ese año, durante los cuales se efectuaron elecciones para designar al nuevo gobernante de la nación. Poco después, el general Santa Anna fue nombrado presidente y Valentín Gómez Farías fue elegido vicepresidente el 3 de junio de 1833. Como Santa Anna se retiró del gobierno, delegó la responsabilidad en Gómez Farías quien, junto con José María Luis Mora, redactaron un documento en el cual propusieron la intervención del estado en las actividades educativas, militares y eclesiásticas.

y José María Luis Mora

Las reformas liberales expedidas por Gómez Farías y Mora generaron numerosas protestas. En Puebla, la iglesia promovió una campaña de desprestigio en contra de tales medidas. El gobierno federal (llamado también liberal) ordenó el destierro del obispo Francisco Pablo Vázquez. En abril de 1834, Santa Anna regresó a la presidencia; el descontento en Puebla continuó. Al mes siguiente, un numeroso grupo de centralistas (llamados posteriormente conservadores) se apoderaron de los conventos de Santo Domingo y San Agustín, proclamando "Religión y Fueros". Los sublevados fueron sometidos; el Congreso del estado apoyó al presidente Santa Anna. Al no aceptar la adhesión, envió como respuesta al general Luis Quintanar para combatir a los inconformes. El gobernador Cosme Furlong renunció a su cargo y el general Guadalupe Victoria lo sustituyó.

Al hacerse cargo nuevamente de la presidencia, Santa Anna ordenó suprimir las Cámaras de la Unión, desconoció a varios gobernadores y anuló las leyes emitidas por Gómez Farías. Los liberales fueron hostilizados; los conservadores que tiempo atrás fueron perseguidos por el propio Santa Anna, regresaron al país.

Una vez eliminados del poder Gómez Farías y el grupo liberal, Santa Anna decidió cambiar el sistema de gobierno de federalista a centralista. El Congreso, integrado en su mayoría por los conservadores, promulgó las bases para elaborar una constitución centralista llamada Las Siete Leyes, expedida el 30 de diciembre de 1836.

De acuerdo con esta constitución, los estados fueron llamados departamentos y los congresos estatales se sustituyeron por juntas departamentales. El control público y administrativo de los mismos quedó a cargo del gobierno central.

Los periódicos de la época criticaron duramente a los centralistas

Más tarde, varios departamentos protestaron porque consideraron que el nuevo sistema no remediaría la difícil situación.

En 1839, se sucedieron algunos levantamientos en favor del federalismo. En Puebla, las tropas de los generales José Urrea y José Antonio Mejía se pronunciaron por el restablecimiento de la República Federal y ocuparon la ciudad. El 30 de abril del mismo año, el general Santa Anna avanzó hasta la capital de Puebla y ordenó al general Gabriel Valencia someter a los federalistas. Más tarde, las fuerzas de Urrea y Mejía fueron derrotadas

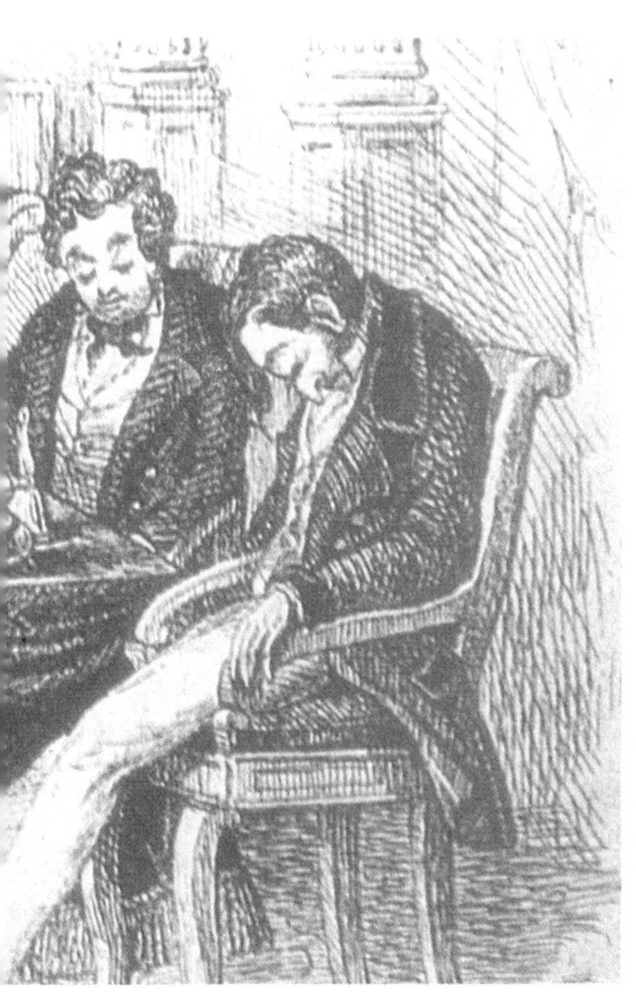

en Acajete. El general Mejía fue hecho prisionero y más tarde, fusilado.

En marzo de 1839, el general Santa Anna asumió provisionalmente la presidencia. Los pronunciamientos por restablecer el federalismo continuaron. En 1840, Gómez Farías escapó de la cárcel; al frente de un contingente marchó hacia la Ciudad de México. Al mes siguiente, el general Mariano Paredes Arrillaga se sublevó en Guadalajara.

En septiembre de 1841, fue redactado el Plan de Tacubaya desconociendo al presidente Bustamante. Asimismo, éstos exigieron el nombramiento de un presidente provisional y la instalación de un nuevo congreso constituyente.

Después de que el Plan se conoció en el país, Santa Anna se encargó, nuevamente, del gobierno. Ordenó le fuera entregado el tesoro que los misioneros jesuitas habían dejado en la Catedral de Puebla; al obispo Francisco Pablo Vázquez, le exigió la suma de 50 mil pesos.

Tales medidas generaron indignación entre la población. En diciembre de 1842, los inconformes proclamaron el Plan de Huejotzingo, desconociendo a Santa Anna.

La rebelión se extendió por varias poblaciones del país, y más tarde, Santa Anna sitió la Ciudad de Puebla. Poco después, éste abandonó la presidencia. Ahora, la ocupaba Nicolás Bravo. Meses después, Puebla se pronunció en favor de la República Federal. Este movimiento fue encabezado por los generales Manuel Arteaga y Domingo Ibarra Ramos.

La invasión norteamericana

Una vez que México logró su independencia, los Estados Unidos de América manifestaron sus deseos de expansión territorial. Los norteamericanos fijaron sus ambiciones en las provincias de Nuevo México, California y Texas, entonces pertenecientes a México. Esa política expansionista del país vecino fue una de las causas que más tarde generaron la guerra contra México. Al mismo tiempo, esa "ambición de conquista" fue el motivo que, en 1836, llevó a los norteamericanos a promover la independencia de Texas, territorio que nueve años después fue anexado a los Estados Unidos.

Por otra parte, nuestro país era escenario, una vez más, de una crisis política auspiciada por los federalistas y los centralistas. El conflicto se resolvió, provisionalmente, llamando al general Antonio López de Santa Anna, quien ya había sido varias veces presidente de la República, para que, nuevamente tomara el cargo.

La incorporación de Texas a la vecina nación del norte fue un acontecimiento que generó numerosas protestas por parte del gobierno mexicano, el cual, de inmediato, retiró a su representante diplomático en aquella nación.

Como los norteamericanos seguían interesados en "conquistar"

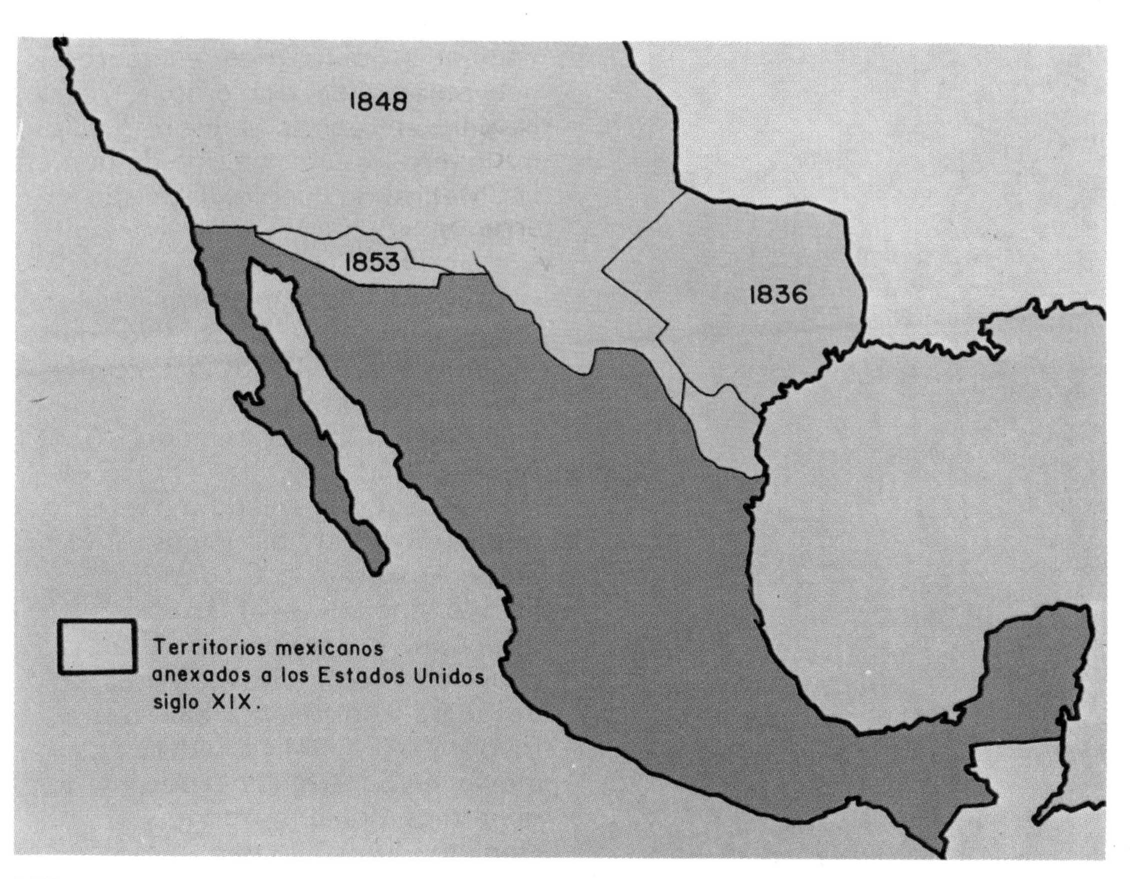

Los norteamericanos pronto llegaron a Puebla

otros territorios, encargaron al general Zachary Taylor que organizara un contingente y ocupara el noreste de México. Esto se llevó a cabo en enero de 1846. El ejército norteamericano no tardó en invadir nuestro país y tres meses después los invasores llegaron a Matamoros (Tamaulipas) donde levantaron el fuerte "Brown". En septiembre las fuerzas mexicanas, al mando del general Pedro Ampudia fueron derrotadas en Monterrey y dos meses después los invasores ocuparon el Puerto de Tampico.

Desanimado por las malas noticias, el propio Santa Anna marchó hacia el norte para reorganizar a las diminuídas tropas mexicanas y estableció un cuartel general en San Luis Potosí. Al mismo tiempo, los norteamericanos avanzaron hasta Saltillo.

En febrero de 1847, ambos ejércitos libraron una batalla en un lugar llamado La Angostura (Coahuila), donde los mexicanos tomaron la ofensiva logrando ganar terreno, pero por falta de víveres la victoria no fue consumada y Santa Anna ordenó la retirada.

El 9 de marzo de 1847 el general Winfiel Scott llegó a Veracruz, ocupando la plaza el día 29. Al enterarse Santa Anna de la caída del puerto, se puso nuevamente al frente de las tropas mexicanas dejando la presidencia en manos del general conservador Pedro María Anaya. El día 18 de abril, las fuerzas mexicanas fueron derrotadas en Cerro Gordo (un lugar cercano a Xalapa, Ver.) y Santa Anna marchó rumbo a Orizaba con el propósito de reorganizar al maltrecho ejército mexicano, mientras que el general Valentín Canalizo se encaminó a

Puebla recibiendo ahí la orden de marchar con un contingente a San Andrés Chalchicomula. Más tarde, Santa Anna llegó a la Ciudad de Puebla, lugar donde reunió a sus oficiales para determinar y preparar la defensa. Poco después, Santa Anna tuvo noticias de que un regimiento norteamericano al mando del general Worth se aproximaba a Puebla.

Guiado por los falsos informes, Santa Anna se apresuró a tomar la decisión de enviar un contingente que salió en dirección de San Martín Texmelucan. Al llegar las tropas mexicanas a Chachapa, desde donde se atisbaba la población de Amozoc, se dieron cuenta del engaño y queriendo recuperar terreno, fueron sorprendidos por el ejército invasor. El 15 de mayo de 1847, los norteamericanos ocuparon la Ciudad de Puebla, y el gobernador Rafael Izunza ordenó que los poderes estatales se trasladaran a Atlixco. Los invasores permanecieron en Puebla hasta el mes de agosto, tiempo que aprovecharon para reorganizar sus

Los norteamericanos salieron de México en febrero de 1848

fuerzas. Además, se prohibieron las reuniones públicas, se suspendieron las garantías individuales y el toque de campanas.

Al día siguiente de la ocupación, el Ayuntamiento envió una comisión a Chachapa para entrevistarse con el general Worth y solicitar garantías para la Ciudad de Puebla. Como la petición no fue aceptada, el Ayuntamiento se disolvió y los poderes estatales fueron trasladados a Izúcar.

El 7 de agosto, el general Scott ordenó reanudar la marcha, dirigiéndose las fuerzas norteamericanas hacia la capital de la República, donde el general Santa Anna, ordenó al general Gabriel Valencia que se trasladara con un contingente a San Angel. Valencia no cumplió la orden y marchó hacia Padierna (Contreras), donde las tropas de Scott lo derrotaron. Al día siguiente, el ejército norteamericano avanzó sobre la garita de San Antonio Abad y llegó hasta Churubusco, en la Ciudad de México, donde consiguieron otra victoria.

El 8 de septiembre, los invasores llegaron a Molino del Rey, donde nuevamente resultaron vencedores y de ahí se dirigieron hacia Chapultepec, donde el general Bravo, al frente de un contingente y varios cadetes militares defendió el Castillo. El 14 de septiembre cesó la resistencia mexicana y los invasores ocuparon la ciudad.

Después de estas acciones, Santa Anna creyó que la Ciudad de Puebla era un sitio importante para recuperar terreno y el día 24 del mismo mes llegó a nuestra entidad, al frente de más de mil defensores con el propósito de sitiar al regimiento norteamericano al mando del coronel Thomas Childs, acantonado en los cerros de Loreto y Guadalupe. Al día siguiente, Santa Anna recorrió las calles de Puebla seguido por una parte de la población, y el comandante de la plaza general Joaquín Rea declaró en estado de sitio la ciudad. Más tarde, Santa Anna envió un mensaje al coronel Child exigiendo la rendición de éste. Como la petición no fue aceptada se libraron algunas acciones de poca consideración.

El 1o. de octubre, Santa Anna levantó el sitio, y ese mismo día concentró a las fuerzas mexicanas en Amozoc, de donde partieron rumbo a Nopalucan. Poco después, Santa Anna tuvo noticias de que un convoy que conducía víveres para los invasores se acercaba a Huamantla (Tlaxcala), y dispuso marchar hacia allá.

Al llegar el ejército invasor a la población tlaxcalteca, los habitantes pidieron armas al general Santa Anna, y se sumaron al contingente mexicano, que en la refriega sufrió bajas considerables, ocupando los norteamericanos la plaza el día 9 de octubre. Después de sus fracasos, Santa Anna entregó el mando de las fuerzas mexicanas al general Reyes, y aquel se retiró a Tehuacán, renunciando a la presidencia, la cual quedó a cargo de Manuel de la Peña y Peña, quien nombró una comisión para negociar la paz con los norteamericanos.

El 2 de febrero de 1848, se firmó el tratado de Guadalupe Hidalgo (Distrito Federal), en el que se reconoció como frontera el Río Bravo y la anexión de Nuevo México y la Alta California al país vecino.

Guerra de Reforma

Una vez que nuestro país había perdido más de la mitad del territorio nacional, era urgente la necesidad de crear un clima de bienestar y trabajo. La guerra con el territorio vecino dejó al país resquebrajado.

Como las diferencias políticas entre los liberales y conservadores continuaban, estos últimos llamaron del exilio al general Antonio López de Santa Anna.

Santa Anna inició su última administración en el año de 1853. Estableció un gobierno centralista. Santa Anna disolvió el Congreso, desconoció los poderes legislativos de los estados y nombró jefes de departamento que sustituyeron a los gobernadores. Convertido en dictador, Santa Anna impuso excesivas cargas fiscales y se hizo llamar "alteza serenísima". Tal situación acentuó el descontento

Los federalistas se aprestaron a combatir a Santa Anna

Santa Anna fue llamado su alteza serenísima

del pueblo; cansado de tantas injusticias, fue preparando el terreno para levantarse en armas. Pronto, en un lugar llamado Ayutla (en el actual estado de Guerrero), se gestó el movimiento que acabaría con la tiranía de Santa Anna.

El levantamiento armado fue iniciado en 1854; estaba encabezado por los generales Juan Alvarez e Ignacio Comonfort, quienes plasmaron en el Plan de Ayutla los anhelos del pueblo mexicano. El documento fue dado a conocer por el coronel Florencio Villarreal. Muy pronto, la rebelión iniciada en Ayutla encontró respuesta en varias partes del país. En Puebla, el gobernador Francisco Ibarra Ramos apoyó el levantamiento armado. En Puebla y Cholula los rebeldes destruyeron los monumentos dedicados a Santa Anna. En Izúcar de Matamoros y Tehuacán, los campesinos se unieron al movimiento iniciado por Álvarez; pero los rebeldes fueron sometidos por el terrateniente Pavón, quien ordenó arrasar las poblaciones que habían participado en el levantamiento.

En la Sierra Norte, también los campesinos (en su mayoría totonacas) se sumaron a la Revolución de Ayutla. Los principales acontecimientos ocurrieron en Tlatlauquitepec y Zacapoaxtla, donde varios campesinos fueron encarcelados. Sin embargo, el deseo por acabar con el mal gobierno y con los terratenientes los mantuvo en pie de lucha. Una vez que el movimiento de Ayutla triunfó, el general Alvarez se encargó de la presidencia y los liberales regresaron al poder.

De acuerdo con el Plan de Ayutla, Álvarez lanzó una convocatoria para instalar un Congreso Constituyente, el cual inició sus deliberaciones el 14 de febrero de 1856.

Mientras el Congreso sesionaba en la Ciudad de México, en nuestra entidad los conservadores, encabezados por Miramón, pronto iniciaron una rebelión, a la cual se sumaron Leonardo Márquez, Pánfilo Galindo y José Vicente Miñón. Ya con el cargo de presidente de la República, Comonfort ordenó que un contingente marchara hacia Texmelucan, donde instalaron un cuartel general para someter a los rebeldes. Poco después, éstos proclamaron el Plan de Zacapoaxtla el cual desconocía al gobierno y adoptaba el Código de las Siete Leyes de 1836 apoyado por el general Antonio Haro y Tamariz. Finalmente, los rebeldes fueron vencidos después de ocupar seis días la capital del estado.

Durante la administración de Comonfort, se expidieron las Leyes de Desamortización de fincas, rústicas y urbanas y la de propiedades de corporaciones civiles y eclesiásticas. Dichos ordenamientos generaron malestar entre los conservadores quienes, nuevamente, se sublevaron. Joaquín Orihuela, al proclamo de "religión y fueros", encabezó un levantamiento en Puebla; estaba apoyado por Miramón, Leonidas Campos y

Ignacio Ramírez, Francisco Zarco, Melchor Ocampo, Jesús González Ortega, Santos Degollado y José María Iglesias; destacados liberales en 1857

Francisco Vélez. Días después, la sublevación se había extendido a las poblaciones de Atlixco, Izúcar y Cholula.

La aprobación de la nueva Constitución, expedida el 5 de febrero de 1857, acentuó el descontento de los conservadores. El clero que, no estaba dispuesto a perder sus privilegios, se opuso a la aplicación del documento.

Meses después, Comonfort consideró que la nueva Constitución contenía artículos rígidos. Envió al Congreso una proposición para reformarlos, la cual fue rechazada por la mayoría de los legisladores. En Puebla, el gobernador Miguel Alatriste fue informado de una conspiración conservadora, que fue reprimida.

Antes de finalizar el año de 1857, los conservadores al ver que el presidente Comonfort no accedía a sus exigencias proclamaron el Plan de Tacubaya, desconociendo la Constitución.

Como las dificultades continuaron, Comonfort apoyó el Plan y más tarde, los propios conservadores lo desconocieron y nombraron presidente de México a Félix Zuloaga, cargo que, constitucionalmente, asumió Benito Juárez por ser el ministro de la Suprema Corte de Justicia.

Esta situación provocó un conflicto civil que, históricamente, llamamos Guerra de Reforma o de Tres Años, iniciada en el año de 1857 y concluída en 1860.

En varias partes del país, aparecieron simpatizantes de ambos bandos; unos apoyaron a los liberales y otros a los conservadores. En Puebla, el gobernador Miguel Echegaray se pronunció en favor de estos últimos, los cuales se apoderaron de la plaza de Tehuacán. Pronto, el exgobernador Alatriste organizó un contingente en favor de Juárez, concentrando sus acciones en Cholula y Acatzingo.

Ya iniciado el año de 1859, los liberales lograron importantes victorias en la Sierra Norte.

En 1859, Juárez expidió, en Veracruz, los decretos llamados Leyes de Reforma, entre los que destacan los referentes a: La nacionalización de los bienes eclesiásticos, la anulación de la Iglesia en los asuntos concernientes al Estado, la supresión de asociaciones religiosas y cofradías o congregaciones y la enseñanza a cargo del Estado con carácter laico.

Los conservadores fueron los primeros opositores, aún con las armas, a la aplicación de estas leyes. Sin embargo fueron vencidos en Calpulalpan (estado de México) por un contingente liberal jefaturado por el general Jesús González Ortega. Poco después, Juárez regresó triunfante a la Ciudad de México.

Restablecido el orden social, el gobernador de nuestra entidad, Fernando María Ortega, ordenó la aplicación de los decretos expedidos por Juárez. El 14 de enero de 1860, Alatriste asumió nuevamente la gubernatura, no sin antes haber sofocado otros levantamientos conservadores en Tepeaca, Izúcar y Nopalucan.

Meses más tarde, Alatriste renunció a su cargo. Fue sustituído, provisionalmente, por Francisco Ibarra Ramos quien tuvo que enfrentar otras sublevaciones en Acatlán y Tepeji y más tarde, en Cholula.

La intervención francesa

Una vez que Juárez restableció el gobierno en la Ciudad de México en enero de 1861, comprendió que era necesario fortalecer el orden constitucional, muy quebrantado por la rebelión conservadora que desconoció a Comonfort.

Juárez lanzó una convocatoria para reunir al Congreso, que inició sus sesiones el 9 de mayo. Poco después, se efectuaron elecciones y Juárez resultó favorecido para ocupar la presidencia. No obstante, nuevamente aparecieron las dificultades, porque la situación económica de la Nación se encontraba en malas condiciones. El Congreso decidió, en julio, suspender el pago de la deuda externa. La decisión anunciada por el gobierno mexicano causó intranquilidad en los países acreedores: Francia, Inglaterra y España, los cuales acordaron intervenir en el asunto. Con este propósito, se reunieron en Londres, donde firmaron un convenio y decidieron enviar tropas a México.

En diciembre de 1861, tropas españolas, desembarcaron en San Juan de Ulúa; poco después llegaron las de Inglaterra y Francia. Cuando en Puebla se conoció la noticia de la llegada de los invasores, el pueblo manifestó su descontento y pidió armas al gobernador para ir a Veracruz y combatir a los europeos.

Como Juárez consideró que el conflicto con los tres países podía resolverse por la vía diplomática, comisionó a Manuel Doblado. Ministro de Relaciones Exteriores, para reunirse con los representantes de las tres naciones.

La reunión se llevó a cabo en una población llamada La Soledad, en el estado de Veracruz, donde los diplomáticos firmaron los tratados correspondientes para negociar la deuda contraída por México. Los representantes extranjeros acordaron reconocer el gobierno de Juárez y respetar la soberanía del territorio nacional; las tropas invasoras no intervendrían y se trasladarían a Tehuacán, Córdoba y Orizaba (estas dos últimas poblaciones ubicadas en el actual estado de Veracruz).

Los Tratados de La Soledad no tuvieron el entendimiento que todos deseaban, debido a la intransigencia que mostró Dubois de Saligny, el representante de Francia. No obstante, Inglaterra y España aceptaron las proposiciones del gobierno mexicano, el cual se comprometió a pagar la deuda contraída con ambas naciones.

Cuando ingleses y españoles se percataron de los verdaderos propósitos de los franceses, porque deseaban intervenir y desconocer el gobierno de Juárez, decidieron retirar sus tropas. Sin embargo, los franceses desconocieron los Tratados; apoyados por los conservadores decidieron avanzar hacia el interior del país.

En el poblado de Chalchicomula se encontraba el cuartel del general Ignacio Zaragoza, Jefe de las fuerzas mexicanas que formaban el Ejército de Oriente. Quien ante tales acontecimientos, juró derrotar a los franceses.

Las tropas del general Zaragoza estaban alertas para enfrentarse al enemigo, cuando el 6 de marzo se suscitó una explosión accidental en el depósito de parque de Chalchicomula, ocasionando fuertes pérdidas de hombres y armamentos. La Brigada de Oaxaca quedó destrozada. No obstante este lamentable acontecimiento, las tropas del general Zaragoza estaban listas para hacerle frente al enemigo.

El 20 de abril de 1862, los intervencionistas llegaron a Orizaba, donde permanecieron una semana. El día 26, el general Carlos Latrille ordenó reanudar la marcha rumbo a Acultzingo, donde estableció un cuartel general. Ahí mismo, el general Ignacio Zaragoza ordenó a los generales Mariano Escobedo y Mariano Rojo que se trasladaran con un contingente a la región de Izúcar de Matamoros, donde el general conservador Leonardo Márquez organizaba un grupo de siete mil hombres para apoyar a los invasores.

El 1o. de mayo, las tropas francesas avanzaron hasta San Agustín del Palmar y al día siguiente llegaron a Quecholac. El día 3, las fuerzas mexicanas arribaron a

Los combates en territorio poblano se iniciaron en mayo

Puebla, donde el general Zaragoza reunió a sus oficiales y organizó la defensa. Ordenó fortificar la plaza, ya que sólo estaban construídos los fuertes de Loreto y Guadalupe, al norte; los de Santa Anita y San Javier, al oeste, y el de El Carmen al sur.

El día 4 continuaron los preparativos para la resistencia nacional. El general Zaragoza reunió en la Plaza de San José a los numerosos defensores. El día 5, los franceses iniciaron las hostilidades por el Fuerte de Guadalupe; fue escuchado un cañonazo que indicaba el inicio de la batalla. Después de intensas horas de combate, el general Lorencez, convencido de la derrota, ordenó la retirada.

El triunfo de los mexicanos jefaturados por los generales Zaragoza, Porfirio Díaz, Felipe Berriozábal, Celestino Negrete, Francisco Lamadrid y Tomás O'Horan, llenó de júbilo a la nación y el general Zaragoza al rendir su informe dijo: "las armas nacionales se han cubierto de gloria."

Derrotados los franceses, se encaminaron rumbo a Tecamalucan, donde el general Márquez solicitó autorización a Lorencez para marchar a Orizaba y entrevistarse con el general Juan N. Almonte. Poco después, éste se reunió con Márquez quien a su regreso, comunicó a Lorencez que un regimiento de defensores al mando del general Santiago Tapia se aproximaba a Tecamalucan.

Cuando en Francia fue conocida la derrota de los intervencionistas, Napoleón III decidió enviar refuerzos a México; llegaron al Puerto de Veracruz al mando del general Elías Federico Forey, en septiembre de 1862. En el mismo mes, un acontecimiento inesperado quebrantó el ánimo de los mexicanos, pues el general Zaragoza falleció. Así, el país perdió a uno de sus mejores hombres. Más tarde, el general Jesús González Ortega fue designado jefe del ejército mexicano.

Después de la muerte del general Zaragoza, las tropas invasoras se reorganizaron y en diciembre de 1862, ocuparon San Agustín del Palmar, Tehuacán y San Andrés Chalchicomula. A su vez, un contingente al mando del mariscal Aquiles Bazaine se dirigió a Perote, donde recibió órdenes y después marchó hacia Quecholac, lugar donde las fuerzas invasoras establecieron un cuartel general.

El 16 de marzo de 1863, el general González Ortega declaró a la Ciudad de Puebla en estado de sitio. Seis días después, una columna invasora al mando del general Carlos Donay se estableció en la Hacienda Manzanillo, cerca de los fuertes de Loreto y Guadalupe, mientras que Bazaine se aproximaba a la ciudad por el sur.

Una semana después de haberse iniciado el sitio, los franceses concentraron el ataque por el Fuerte de San Javier. El día 26 de marzo ocurrió el combate más intenso; en esta batalla, destacaron los tenientes José Montesinos y Octavio Rosado.

En los primeros días de abril, los ataques franceses continuaron desde diversos puntos de la ciudad y causaron numerosas bajas a las fuerzas mexicanas. Dos meses después del sitio, González Ortega comprendió que estaban en desventaja y ordenó al general Mendoza entrevistarse con el general Forey, para comunicarle que estaban dispuestos a negociar la paz y que permitiera el retiro de las tropas mexicanas; esto no fue aceptado por el general francés. En la madrugada del día 17 de mayo, las menguadas fuerzas mexicanas destruyeron su armamento para que el enemigo no lo utilizara. Después de haber resistido durante dos meses un riguroso sitio, los defensores fueron aprehendidos y muchos de ellos se negaron a firmar un documento presentado por el general Forey. Poco después, reinó la confusión y varios prisioneros escaparon, entre ellos Porfirio Díaz, Felipe Berriozábal y Florencio Antillón. Más Tarde, los cautivos fueron enviados a Orizaba, donde el general González Ortega recuperó su libertad. Más de 500 fueron enviados a Francia como prisioneros de guerra.

El día 19, Forey ocupó Puebla. Preparaba continuar el recorrido hacia la Ciudad de México, a la cual arribó el 7 de junio de 1863 con Bazaine y un contingente francés.

El día 10, llegó el grueso de las tropas invasoras. Forey encargó a una junta de notables, el nombramiento de un gobierno interino llamado Supremo Poder Ejecutivo Provisional, instalado el día 22. Resolvió establecer un gobierno imperial. Poco después, el Supremo Poder adoptó el nombre de Regencia, la cual funcionó hasta el 20 de mayo de 1864.

En junio de 1863, una comisión de monarquistas mexicanos marchó hacia Europa y ofrecieron el gobierno de México a Fernando Maximiliano de Habsburgo, quien aceptó la corona. El 28 de mayo de 1864, Maximiliano y su esposa Carlota Amalia desembarcaron en Veracruz.

En el camino hacia la capital mexicana, pasaron por Puebla y Cholula. Continuaron su viaje e hicieron su entrada a la Ciudad de Mexico el 12 de junio.

Maximiliano aceptó ser emperador de México

La Batalla del 5 de mayo

"Las armas nacionales se han cubierto de gloria"

El 5 de mayo de 1862 tuvo lugar en la Ciudad de Puebla, una batalla muy importante para México. Se enfrentaban las fuerzas nacionales a los invasores franceses.

Las fuerzas mexicanas constituían el cuerpo del Ejército de Oriente comandado por el general Ignacio Zaragoza. Sumaban en total 5 450 hombres, que se encontraban ocupando la zona correspondiente a los fuertes de Loreto y Guadalupe, Aranzazú, la Garita de Amozoc, y la Plazuela de Román hasta el Barrio de los Remedios.

El ejército francés, formado por 5 730 hombres, estaba al mando del general Lorencez quien, al estudiar la posición del ejército mexicano, decidió atacar directamente la línea

de defensa sobre los fuertes de Loreto y Guadalupe con el objeto de dominar desde lo alto a la Ciudad de Puebla. Hay que destacar que éste era un ejército superior en cuanto al número de elementos, a la cantidad de parque y a la preparación militar.

La batalla comenzó a las 12 del día; fue anunciada con sendos cañonazos lanzados por ambos bandos.

Por parte del enemigo, avanzaron 5 000 hombres de norte a sur en línea recta. Al llegar a las faldas de Guadalupe, comenzaron a disparar hacia el fuerte, tratando de ascender hacia él. Ahí se encontraron con el 6o. Batallón Nacional de Puebla, integrado por indígenas de la sierra de Tetela, Xochiapulco y Zacapoaxtla quienes fueron los primeros que, valerosamente, se les enfrentaron.

Para reforzar el 6o. Batallón, llegaron los de Veracruz y Cazadores de Morelia. Lucharon cuerpo a cuerpo con el enemigo.

Mientras tanto, los batallones de Michoacán y los de Toluca cubrían las alas derecha e izquierda, respectivamente. A las 12:30 horas, se había ganado la primera contienda al mando del general Negrete.

Los franceses volvieron a reorganizarse en la llanura, donde intentaban seguir avanzando. Mientras tanto, el general Zaragoza ordenó que sus tropas se situaran estratégicamente, cubriendo los cerros de Loreto, de Guadalupe y el área central.

De nuevo, ambas fuerzas se volvieron a enfrentar. Las columnas francesas avanzaban, pero perdían mucha gente y gran parte de sus municiones. Lograron llegar hasta el Fuerte de Guadalupe en donde fueron recibidos por las fuerzas nacionales que, con granadas, balas, piedras y bayonetas lograron que los soldados de Vicennes y los *suavos* se retiraran derrotados al valle. Eran las dos de la tarde y un segundo ataque se había llevado a cabo.

El ejército francés, ya un tanto desorganizado y como último recurso, se volvió a reunir para hacerle frente a las fuerzas mexicanas. Marcharon 3 000 hombres hacia el sur del cerro con objeto de entrar a la capital. Las fuerzas mexicanas ya se encontraban colocadas en la parte oriente de la ciudad y al sur del cerro, esto es, en el tramo de la Misericordia a los Remedios estaban los rifleros de San Luis Potosí; en el barrio de Xonaca, los zapadores y en los Remedios, la Brigada de Oaxaca.

Los franceses avanzaron, por un lado, hacia el cerro y por el otro, hacia Xanoca donde se dividieron. Una de las columnas atacó la Misericordia. Nuestros soldados resistieron valerosamente en Xanoca y la batalla se desarrolló desde las casas y la iglesia hasta que el enemigo huyó hacia su campamento. Más tarde, las tropas francesas volvieron a reunirse e intentaron atacar, de nuevo, el Cerro de Guadalupe. Más cuando iban ascendiendo y aunado al ataque de los mexicanos, una tremenda granizada les impidió avanzar. A las 16:45 horas, los franceses se retiraron a su campamento, donde se parapetaron con sus tropas derrotadas.

Es así como después de intensos combates, las fuerzas mexicanas lograron derrotar al enemigo. El general Zaragoza, al rendir el parte oficial al presidente Juárez de la Batalla del 5 de Mayo en Puebla, escribió: "Las armas nacionales se han cubierto de gloria".

A consecuencia de una tifoidea, el general Zaragoza murió el 4 de septiembre de 1862 y fue declarado por el presidente Juárez: Benemérito de la Patria en grado heroico.

Restauración de la República

Ya establecido el imperio, surgieron dificultades entre Maximiliano y los conservadores, porque el monarca extranjero no les concedió los privilegios que éstos exigían.

El año de 1864 fue difícil para los mexicanos que defendieron la República y al presidente Juárez, quien peregrinó por diversas ciudades del país llevando la representación legal de la Nación. Más tarde, Juárez instaló provisionalmente su gobierno en Paso del Norte (Chihuahua) y dijo: "responderé así a los anhelos del pueblo mexicano, que no cesará jamás de luchar por todas partes contra el invasor y terminará infaliblemente por triunfar en la defensa de su independencia y de las instituciones republicanas".

A pesar de la llegada de refuerzos invasores, los defensores de la República no cesaron en su lucha por recuperar sus instituciones, y continuaron en la batalla por todo el territorio nacional. Para el año de 1865, el general Porfirio Díaz reorganizaba a un grupo de republicanos. Concentró y desarrolló sus acciones en los estados de Oaxaca y Puebla.

Ya iniciado el año 1866, Napoleón III ordenó el retiro de las tropas francesas, quedando Maximiliano sin apoyo militar y en

Juárez supo defender nuestra soberanía nacional

difícil situación, porque los republicanos intensificaron sus acciones. En Puebla, el general Díaz recuperó las poblaciones de Izúcar y Acatlán, y poco después, las plazas de Chalchicomula, Texmelucan y Tehuacán.

El 16 de febrero de 1867, las fuerzas imperialistas iniciaron la marcha hacia Francia. Al mes siguiente, los republicanos al mando de Díaz avanzaron hasta la Ciudad de Puebla. Los triunfos de los republicanos continuaron y finalmente Maximiliano y los conservadores Miguel Miramón y Tomás Mejía fueron aprehendidos. La suerte de los prisioneros la decidió un consejo de guerra, el cual los condenó a ser fusilados. La ejecución se efectuó el 19 de junio de 1867, en el Cerro de las Campanas (Querétaro). Después de cuatro años de lucha, el imperio de Maximiliano había llegado a su fin, y el presidente Juárez regresó victorioso a la Ciudad de México el 15 de julio de 1867, acompañado por los ministros Sebastían Lerdo de Tejada y José María Iglesias.

Una vez liquidada la resistencia francesa, el gobierno de Juárez se dio a la tarea de reorganizar el país, y el 14 de agosto se expidió la convocatoria para efectuar elecciones presidenciales y restablecer el Congreso. El resultado de las votaciones favoreció nuevamente a Juárez.

Ya restaurada la República en 1867, todos deseaban que la paz llegara. Sin embargo, en algunas partes del país surgieron dificultades de carácter político. En Puebla, el

Díaz liberó a Puebla el 2 de abril de 1867

General Juan N. Méndez

gobernador Juan N. Méndez, apoyado por las autoridades del ayuntamiento desconoció a Juárez, quien al enterarse de la actitud del mandato estatal, lo sustituyó provisionalmente por el coronel José Palafox. Poco después, éste convocó a elecciones para designar al nuevo gobernador y las votaciones favorecieron a Rafael García, quien fue hostilizado por los partidarios del exgobernador Méndez.

Ya iniciado el año de 1869, el general Miguel Negrete encabezó una rebelión en la Ciudad de Puebla, y el gobernador García ordenó al general Rafael Cuéllar que sometiera a los rebeldes. Como las sublevaciones continuaron, García renunció a su cargo y fue sustituido por Ignacio Romero Vargas, quien brindó su apoyo a Juárez. Al año siguiente, Romero Vargas encargó la seguridad del estado a los generales Alatorre, Cravioto y Rodríguez Bocardo, quienes no cumplieron la orden y promovieron otros levantamientos.

En 1871 cuando Juárez se disponía a iniciar una nueva etapa en su gobierno, el descontento de la oposición creció y los inconformes se identificaron con el general Porfirio Díaz. Poco después, éste manifestó su deseo de ocupar la presidencia, y en 1872 dio a conocer un documento que llamó Plan de la Noria, desconociendo al presidente Juárez.

En Puebla, la rebelión de la Noria se extendió a las poblaciones de Acatlán, Atlixco, Chietla, Izúcar y

Tepeji, y como la situación se tornó difícil la entidad se declaró en estado de sitio.

En 1872, la muerte de Juárez causó desconcierto en el país, y Lerdo de Tejada, presidente de la Suprema Corte, asumió la presidencia.

Durante la administración de Lerdo, los levantamientos continuaron. En 1876 en la población de Tuxtepec (Oaxaca), las autoridades del distrito y algunos jefes militares iniciaron una rebelión, y poco después, dieron a conocer un documento que llamaron Plan de Tuxtepec. Desconocieron a Lerdo y proclamaron como jefe del movimiento a Porfirio Díaz, quien después reformó el plan.

Pronto, la rebelión se extendió a las entidades vecinas. En nuestra entidad el plan fue apoyado por Hermenegildo Carrillo, Juan Crisóstomo Bonilla, el exgobernador Juan N. Méndez, el jefe político de Zacatlán Luis de León y Juan Francisco Lucas, quienes combatieron en la Sierra Norte.

En Tecamachalco, José María Couttolenc organizó un contingente y marchó rumbo a Epatlán, donde fue sorprendido por las fuerzas republicanas jefaturadas por el general Alatorre. Poco después, las tropas rebeldes se reorganizaron y en Tecoac (Tlaxcala), libraron un combate y vencieron a las fuerzas federales. Posteriormente, Díaz se dirigió a Puebla y nombró gobernador del estado a Couttolenc.

Una vez que la rebelión triunfó, Díaz asumió la presidencia y Lerdo de Tejada marchó hacia el extranjero.

Ignacio Romero Vargas

5

La dictadura y su fin

Política de orden y progreso
Injusto reparto de la riqueza
Se inician las protestas
Lucha política ante las elecciones
Surgimiento del antirreeleccionismo
Fraude electoral de la dictadura
Jornada por la libertad
Porfiristas, maderistas y zapatistas
Camino del Plan de Ayala
Usurpación huertista
El fin de Madero
Derrota del mal gobernante
Rumbo a la Convención
Convencionistas y constitucionalistas
Derrota del zapatismo
Tlaxcalaltongo, fin de un camino

Política de orden y progreso

El año de 1876 marcó el inicio de un nuevo período de nuestra historia nacional y estatal, conocido como Porfiriato o dictadura porfirista. Entre 1876 y 1911 gobernó el general Porfirio Díaz. Solamente entre 1880 y 1884 lo hizo el general Manuel González. Por 31 años la continua reelección de Porfirio Díaz propició una época de orden y paz, lograda por la fuerza de las armas. Sin embargo, el progreso no llegó a toda la población.

Para las elecciones presidenciales de 1876, se postularon como candidatos: Sebastián Lerdo de Tejada, quien había asumido la presidencia en el año de 1872, había luchado por la vía electoral y aún por medio de la fuerza de las armas, para conseguir la presidencia de la República. Pero como Lerdo de Tejada resultó triunfante en las elecciones, mediante fraude, los porfiristas proclamaron el Plan de Tuxtepec para oponerse al gobierno lerdista.

A dicho Plan se unieron en Puebla: Juan Crisóstomo Bonilla, Hermenegildo Carrillo y Juan N. Méndez, el 10 de enero de 1876. En Zacatlán se rebeló Luis de León

que era el jefe político del lugar; después ocuparía la población de Zacapoaxtla. En Tecamachalco, el hacendado José María Coutolec, con su dinero, armó un contingente de dos mil hombres, que unidos a otros rebeldes oaxaqueños, presentaron violento combate contra las tropas federales del general Ignacio Alatorre, en Epatlán.

La rebelión de los porfiristas pronto se extendió por todo el país. José María Iglesias, que era el presidente de la Suprema Corte, también pretendió la presidencia de la República. El combate que puso fin a la contienda entre lerdistas y porfiristas, se verificó a principios de noviembre en la entonces Hacienda de Tecoac. Victorioso Porfirio Díaz, entró a nuestra capital estatal el 19 de noviembre de 1876.

En la Angelópolis, Díaz nombró gobernador a José María Coutolec y como segundo jefe del movimiento armado a Juan N. Méndez. Mientras, en la capital de la República el presidente Lerdo, al ver que no contaba con jefes y tropas suficientes para sofocar el movimiento porfirista, decidió abandonar la Ciudad de México y el país.

El 26 de noviembre de 1876, Díaz entró triunfante a la Ciudad de México y asumió el cargo de presidente interino, mientras se realizaban nuevas elecciones. Pero como José María Iglesias continuaba luchando por la presidencia, Díaz salió a combatirlo. Dejó como encargado del Poder Ejecutivo a Juan N. Méndez.

Derrotada la rebelión encabezada por Iglesias, Díaz regresó a la Ciudad de México en febrero de 1877. Se efectuaron las elecciones; el 5 de mayo de ese año tomó posesión de la presidencia. En los siguientes años surgieron nuevos levantamientos armados en contra del gobierno porfirista, mismos que fueron sofocados sangrientamente. A partir de entonces, fue aplicada sistemáticamente la frase preferida por Díaz para eliminar a sus adversarios: "mátenlos en caliente" que equivalía a fusilar sin juicio legal ni averiguaciones.

Díaz no podía reelegirse; pero sí pudo manipular el proceso electoral para que su compadre el general Manuel González, resultara electo presidente. En el interior del país, predominaron los gobernantes militares.

En el período antes mencionado, en Puebla se sucedieron los siguientes gobernadores: en 1884, el licenciado Ignacio Enciso; en 1885, el general Rosendo Márquez y el licenciado Manuel M. Arrioja como suplente; entre 1885 y 1892, el general Rosendo Márquez y el licenciado Crispín Aguilar Bobadilla como suplente, y entre 1892 a 1911, el general Mucio Práxedes Martínez y el licenciado Miguel Sandoval como suplente.

A la par del desarrollo de la dictadura política del porfirismo, fue creándose el grupo llamado de "los Científicos"; éste se caracterizó por integrarse con gente que, además de tener el poder político, también controlaba la economía de nuestro país. Por eso durante el gobierno porfirista se produjo un gran avance económico, que sólo benefició a un reducido grupo de inversionistas nacionales, apoyados por empresarios extranjeros, como lo veremos en seguida.

Injusto reparto de la riqueza

Puebla, al igual que el resto de nuestro país a fines del siglo pasado, se encontraba devastado por las continuas contiendas militares entre los partidos políticos nacionales y las invasiones sufridas en 1845 o la que terminó en 1867. Los campos agrícolas estaban abandonados, el comercio paralizado, la industria debilitada; no había quien invirtiera su dinero en empresas productivas y las finanzas públicas estaban en bancarrota. A esto se le sumaron otros problemas como la incapacidad del gobierno por mantener la seguridad pública. El caciquismo se acrecentó y las epidemias eran constantes por falta de salubridad.

Tal era el país que Porfirio Díaz empezó a gobernar desde 1877. La única salida viable para sacar a México de su postración económica y política, fue apaciguar violentamente a los opositores del régimen y exterminar el bandidaje. Una vez reinante la paz porfiriana, ya se podía invitar a los inversionistas extranjeros para establecer sus fábricas y comercios en nuestro territorio.

A la par de iniciarse la industrialización en las zonas urbanas, en el campo los grandes terratenientes tecnificaron la producción de alimentos y materias primas. La minería y la siderurgia la promovieron los ingleses, franceses y alemanes; la explotación petrolera la encabezaron ingleses y norteamericanos; la industria textil, los ingleses y la construcción de vías férreas, líneas telefónicas y telegráficas, los ingleses y

Hacienda porfirista

norteamericanos.

Con el impulso de las compañías deslindadoras apoyadas por el gobierno porfirista, se dio paso a la formación de grandes latifundios que despojaron a los indígenas y pequeños propietarios de sus tierras. Por tanto, una gran cantidad de jornaleros y campesinos libres fueron a trabajar a las grandes haciendas y allí, debido a los bajos salarios y a los préstamos forzosos, se convirtieron en peones atrapados y sujetos a la explotación del hacendado.

Durante el porfiriato, en la Sierra Norte de Puebla fueron introducidos tanto el cultivo del café como los primeros aserraderos de tipo industrial. Los antiguos ingenios de azúcar de Acatlán, Izúcar, Chietla y Tehuacán fueron modernizados y su producción aumentó considerablemente. Mercancías como el algodón, lana, maderas finas y pieles curtidas, sirvieron como los principales productos para el comercio con el resto de América y Europa. La industria tabacalera encabezada por las empresas Puros La Balsa, Hermanos Peláez, El Pabellón Mexicano y Penichet y Compañía, llegaron a tener gran importancia en Cuba, Estados Unidos de América y Centro y Sudamérica.

En las zonas urbanas surgieron nuevas factorías en las ramas de cerámica, vidrio, sombreros de fieltro, papel, mosaicos, cemento, cerillos, licores, cerveza, dulces, cigarros e hilos, entre otras. La industria poblana que en 1843 contaba con 15 fábricas, para 1906 llegó a tener más de 40 plantas; algunas de ellas como la de Metepec instalada en 1902, utilizó energía eléctrica.

La energía eléctrica, que se tornó en el símbolo representativo de la modernidad y el desarrollo técnico en aquella época, fue producida por primera vez en nuestra capital estatal en el año de 1871 por Miguel Ibáñez que era maestro del Colegio del Estado. La planta generadora, se presume, fue instalada en la calle de Nopalito, hoy Calle 11 Norte, 800.

El comercio se incrementó a la par de la construcción de las vías férreas; si bien en 1869 sólo existía la vía México-Puebla, durante el porfiriato crecieron de la siguiente manera: en 1879 fue inaugurada la ruta Esperanza-Tehuacán que era de tracción animal; en 1880 quedó terminada la Puebla-Cholula; la de Puebla-Amozoc y Puebla-San Juan de los Llanos en 1883; el Interocéanico Puebla-Perote, Puebla-Atlixco y México-Puebla en 1889; el Ferrocarril Industrial a las fábricas en 1890; el de Puebla-Tehuacán-Esperanza en 1891; y dos de carácter urbano: una en Puebla y otra en Tehuacán, en 1881 y 1900 respectivamente.

Las profundas diferencias económicas provocadas por el gobierno porfirista, tanto en el campo como en las ciudades, propició la rebeldía de campesinos y obreros, misma que fue duramente reprimida. Entre estos conflictos agrarios cabe destacar el ocurrido en San Martín Texmelucan en el año de 1879; este movimiento fue promovido por el coronel Alberto Santa Fe quien varios años antes había editado, junto con el licenciado Manuel Serdán, el periódico *La Revolución Social*, donde se publicó el proyecto de

La huelga del Río Blanco, Veracruz, ayudó a la organización de los obreros

"Ley del Pueblo", documento importante en la lucha obrero-campesina del siglo pasado.

Como respuesta a la organización campesina, los hacendados poblanos crearon en 1889, la "Unión de Agricultores y Ganaderos del Estado de Puebla". Sin embargo, surgieron nuevas organizaciones de trabajadores como la "Orden Suprema de Empleados Ferrocarrileros", creada el 26 de octubre de 1890. En su mayoría, los periódicos de la época sirvieron para manipular a la opinión pública en favor del gobierno porfirista. Quienes se oponían al régimen, corrían la suerte de ser destruídos y sus reporteros o dirigentes aprehendidos o asesinados. Así fue el caso del propietario del periódico "La Voz de la Verdad", llamado José Olmos y Contreras, apuñalado cuando entraba a su casa, ubicada en la calle de Acequia, hoy Calle 4 Sur, 700 el 30 de junio de 1896.

El movimiento ferrocarrilero logró conformar la "Unión de Mecánicos", el 23 de enero de 1899. Con la dirección de Teodoro Larrey. El 28 de agosto de 1900 se amplió dicha organización a los demás trabajadores . Encabezados por Pascual Mendoza se organizaron en el "Club Central Obrero del Estado de Puebla".

Para 1904, por imposición presidencial, ocupó la gubernatura poblana el general Mucio P. Martínez quien se ganó, desde entonces, el sobrenombre de "dictador provinciano".

En 1906, los trabajadores textiles, bajo la dirección de Policarpo Osorio y el apoyo de Pascual Mendoza, crearon la "Confederación Nacional Esteban de Antuñano" que llegó a reunir a los 8 549 textileros existentes en 1907. Como respuesta a la organización de trabajadores, los industriales textiles de Tlaxcala y Puebla fundaron, en 1908, el "Centro Industrial Mexicano".

Como podemos ver, la azarosa vida económica y política del país y en nuestro estado, crearon las condiciones propicias para la destrucción de la dictadura porfirista.

General Mucio P. Martínez

Se inician las protestas

Al despertar el presente siglo, nuestro país, al igual que nuestra entidad estatal, nos presentó una situación de gran desigualdad social, económica, jurídica y cultural. Estas condiciones, creadas durante la época porfirista, fueron generando el descontento de la mayoría del pueblo; asimismo, se fueron formando agrupaciones políticas que buscaban la solución para resolver los problemas e inquietudes cotidianas.

Luego que fue fundado el Partido Socialista Mexicano por Miguel Serdán en 1878, surgieron otras organizaciones obreras dirigidas por los hermanos Flores Magón, Camilo Arriaga, Juan Sarabia y Librado Rivera. Estos grupos obreros fundaron el Partido Liberal Mexicano (1900-1902) que proponía mejores condiciones de trabajo y un salario justo para los obreros. Aunque dicho partido político tuvo trascendencia, inclusive en Puebla, la fuerza política, económica y militar del gobierno porfirista, representada en el Partido de los Científicos, siguió su implacable represión a los opositores del régimen.

Ricardo y Enrique Flores Magón

Por las injusticias, aumentaron las protestas

Esa disconformidad creciente y la constante represión hacia los campesinos, obreros e intelectuales que se oponían al gobierno de Porfirio Díaz, crearon un ambiente de incertidumbre. Al aproximarse el año de 1908 (o sea, dos años antes de las siguientes elecciones presidenciales) Díaz concedió una entrevista al reportero norteamericano John Creelman. Dicho reportaje, publicado en marzo de ese mismo año en México, dio a conocer la opinión del mandatario. Díaz consideraba que México ya estaba preparado para la práctica de la democracia; la aparición de nuevos partidos políticos sería bien vista por el gobierno. Porfirio reconocía que para 1910, él cumpliría 80 años y se comprometía a no presentar su candidactura en futuras elecciones.

Ante tal noticia, en el interior del país se inició la formación de partidos políticos que serían reconocidos por el gobierno porfirista. El primero en surgir fue el Partido Democrático que, en enero de 1909, inició sus actividades en la Ciudad de México, con el licenciado Benito Juárez Maza como dirigente. Proclamaba la no reelección y el total cumplimiento de la Constitución de 1857. El Partido Antirreeleccionista, fundado el 22 de mayo de 1909 en la Ciudad de México, tenía como lema el de "Sufragio efectivo. No reelección"; entre sus dirigentes estaban Emilio Vázquez Gómez, Filomeno Mata y Francisco I. Madero.

El otro partido político de importancia fue el fundado por el general Bernardo Reyes, quien pretendía destituir a Porfirio Díaz por medio del triunfo en las elecciones presidenciales. El Partido Reyista, fundado a principios de junio de 1909, pronto adquirió gran fuerza en nuestro territorio estatal, situación por la cual el gobernador

Daniel Cabrera, magnífico caricaturista

Luis Cabrera, periodista crítico

Mucio Práxedes Martínez, en agosto, ordenó reprimir duramente a los empleados públicos de Huauchinango que apoyaban a dicho partido.

Con la participación del libro *La sucesión presidencial en 1910* escrito por Madero, tanto los simpatizantes del antirreeleccionismo como algunos integrantes del Partido Reyista y otros del Liberal Mexicano, pronto iniciaron la formación del Partido Antirreeleccionista en toda la nación. En la Ciudad de Puebla, algunos líderes que se unieron a dicho movimiento político encabezado por Madero fueron: los hermanos Campos, quienes habían ayudado a fundar el club político "Regeneración"; Hilario C. Salas, quien condujo en 1906, un fallido intento de rebelión armada en Veracruz; Juan Cuamatzin expresidente municipal de San Bernardino Contla (Tlaxcala) y otros dirigentes poblanos del Partido Liberal Mexicano como Rafael Tapia, Camerino Mendoza y los hermanos Francisco y Felipe Fierro.

Un personaje poblano importante en la lucha contra el porfirismo fue Luis Cabrera Lobato, originario de Zacatlán de las Manzanas y nacido el 17 de junio de 1876. Aunque procedía de una modesta familia campesina, ya para 1898, cuando aún estudiaba en la Universidad, empezó a participar como articulista en el periódico "El Hijo del Ahuizote", que dirigía su tío

Daniel Cabrera. Pocos años después, trabajó en otros periódicos de oposición al régimen porfirista, tales como "Partido Democrático", "Diario del Hogar" y "El Dictamen"; usaba el seudónimo de "Blas Urrea". Junto con sus hermanos Federico (radicado en Chiapas), Alfonso (quien vivía en Veracruz), Lucio (establecido en Puebla) y él, desde la Ciudad de México, participaron a partir de 1908 en la organización del Partido Antirreeleccionista.

Otro personaje fue Aquiles Serdán. Nació en la Angelópolis en el año de 1876 y pertenecía a una familia con amplia tradición en la lucha política, como ya lo mencionamos en el capítulo anterior. Aquiles sólo pudo llegar al primer año de estudios en el bachillerato, pues se vio obligado a trabajar y ayudar económicamente a su familia. Primero fue obrero; luego, entró al ejército y posteriormente se dedicó a la marina mercante. Cuando Aquiles regresó a Puebla, instaló una zapatería con parte del dinero ahorrado durante su ausencia. Bajo la influencia del pensamiento político de su padre, contenido en la biblioteca que legó a su familia, empezó a participar en actividades políticas. De esta manera conoció a los dirigentes del Partido Socialista Mexicano, del Partido Liberal Mexicano y del Partido Reyista, pero nunca aceptó unirse a ellos.

Lucha política ante las elecciones

En diversos lugares del territorio poblano, así como en nuestra capital estatal, surgieron varios grupos políticos que estuvieron convocados por Aquiles Serdán y un grupo de simpatizantes para fundar el club "Luz y Progreso"

Dicha convocatoria tenía como título el de "No permanezcáis más de rodillas". La sesión estaba señalada para el día 18 de julio de 1909, en la casa número 17 de la calle de Caporala . Como resultado de esa sesión de trabajo, se estableció la primera mesa directiva antirreeleccionista; Aquiles Serdán como presidente, Francisco Panganiva como vicepresidente, Francisco Arroyo como secretario, Rafael Torres como tesorero y otras personas como vocales, entre los que se contaban Sixto Vázquez, Rafael Rosete y Guillermo Gaona Salazar.

En ese mismo mes y año, surgieron otros grupos antirreeleccionistas, como el "Club Regeneración" (20 de julio), con Francisco Salinas a la cabeza; el "Centro Antirreeleccionista de México" (25 de julio); el club "Reivindicación Popular" con Bernardino del Castillo como dirigente; el club "Ignacio Zaragoza" organizado por Agustín Díaz Durán y el "Club Antirreeleccionista Poblano".

Para fines de ese mes, el gobierno poblano, quien no veía con buenos ojos al movimiento antirreeleccionista, empezó a hostilizarlos. Enrique Cabrera

El antirreeleccionismo proliferó, en 1909

Las manifestaciones eran constantes

Camarena, dueño del periódico "El imparcial", aprovechó la fiesta cívica en honor a Hidalgo para atacar verbalmente el antirreelecionismo y a Serdán. La respuesta de Aquiles no se hizo esperar y en el periódico "La no reelección", que editaban los universitarios poblanos, se inició la defensa y divulgación del pensamiento maderista en nuestro estado.

Día a día, el enfrentamiento entre porfiristas y antirreeleccionistas se tornó aún más candente. Pero la propaganda maderista requería de una oportunidad para difundirse entre la población; el club "Luz y Progreso" vio en las fiestas del 15 y 16 de septiembre la oportunidad de participar. Sin embargo, al ser entregada la petición del club "Luz y Progreso" por Aquiles Serdán al jefe político de la Ciudad de Puebla, Joaquín Pita, éste ordenó arrestar al dirigente antirreeleccionista.

El 15 de septiembre, tres hombres entraron a la casa de la familia Serdán y pidieron entrevistarse con Aquiles. Pero cuando éste se presentó, uno de los individuos sacó una pistola y le anunció que se diera por preso. En un momento de confusión, Aquiles desarmó a su agresor y pudo echar de su casa a sus pretendidos captores. Al día siguiente durante el desfile, varios partidarios del antirreeleccionismo fueron rodeados por policías secretos para evitar la marcha y la manifestación promaderista.

Aquiles Serdán, temeroso de su seguridad personal, decidió refugiarse en la casa de los hermanos Rafael, Guillermo y Benito Rousset, quienes poseían un estudio fotográfico en la Angelópolis; en dicho lugar, Aquiles escribió una carta a Porfirio Díaz en la cual se le pedía respetar lo expuesto en la entrevista Díaz-Creelman. Terminaba el texto con la frase: "¡Hay que tener fe en la justicia!".

La presión de la policía secreta poblana obligó a Serdán a huir rumbo a la Ciudad de México. Pero al pasar por Panzacola, fue aprehendido y conducido a la cárcel de San Juan de Dios en Puebla, el dos de octubre de ese mismo año, acusado de robar la pistola del policía secreto que había intentado arrestarlo el 15 de septiembre.

Madero y Emilio Vázquez Gómez, como líderes nacionales del Partido Antirreeleccionista, intercedieron ante el gobierno porfirista para que Aquiles y un grupo de partidarios de Madero fueran liberados. Mientras, en la Ciudad de Puebla, Octavio Bertrand organizaba varios grupos antirreelecionistas, integrados por antiguos reyistas y ciudadanos de la clase media que apoyaban los proyectos radicales de Aquiles.

Para la consolidación de los grupos antigobiernistas y como parte de su campaña electoral en nuestro territorio estatal, Madero, en su camino a Tehuacán, visitó la Angelópolis a fines de octubre de 1909. Así pudo observar el líder nacional antirreeleccionista, con gran satisfacción, que algunos intelectuales, grupos de burócratas, profesionales y pequeños propietarios, empezaban a organizarse; ellos brindarían la fuerza necesaria para oponerse al gobierno porfirista en las elecciones nacionales y en cada estado de todo el país.

Madero fundó, en Puebla, el Partido Antirreeleccionista, el 2 de diciembre de 1909

En los primeros días de abril de 1910, tras penosos meses de encierro y tortura, Aquiles pudo abandonar la cárcel: mas no se retiró de la lucha por la causa antirreelecionista. El diario "No Reelección", fundado por Aquiles como órgano de información de los maderistas poblanos, y el diario "Regeneración", publicado por el Partido Liberal Mexicano a cargo de Hilario C. Salas, desempeñaron un importante papel en la difusión del antirreeleccionismo en nuestro territorio estatal y los circunvecinos.

A la acción de difundir, siguió la de consolidar a los grupos simpatizantes de Madero. Para ello, Aquiles organizó dos grupos que recorrerían el norte y el sur de nuestro estado, con el fin de coordinar a los noventa grupos antirreeleccionistas existentes. Mientras, Carlos Aldeco, al frente de un pequeño grupo de poblanos y con recursos económicos suficientes, entregaban a Madero una buena contribución de dinero para la campaña política antirreeleccionista. De esta manera, y por primera ocasión, el grupo conservador de la clase media poblana asumía la cómoda posición de ayudar a los opositores del porfiriato, sin comprometerse a la actividad política abierta.

La clase media poblana, dirigida por Aldeco, apoyó lo propuesto por Emilio Vázquez Gómez para las elecciones presidenciales: conservar a Porfirio Díaz en la presidencia y nombrar a un antirreeleccionista para la vicepresidencia, por ser para éstos la única forma de no crear conflictos mayores en el país. Pero Francisco Salinas y Aquiles Serdán se opusieron tajantemente y emprendieron una fuerte campaña en contra del grupo encabezado por Aldeco. Finalmente, Madero convenció a Carlos Aldeco y a sus partidarios de abandonar su plan acomodaticio y que procurara reconciliarse con Salinas y Serdán.

Por su parte, el club "Luz y Progreso" también tenía su propio punto de vista para elegir a los candidatos presidenciales. Estaban dispuestos a elegir a Madero para presidente y a Toribio Esquivel Obregón para vicepresidente, en lugar de Francisco Vázquez Gómez, como ya se tenía previsto por el Partido Antirreeleccionista. Madero, al tener noticia de esto, a principios de mayo, le pidió a Octavio Bertrand se presentara en la capital poblana y tuviese una entrevista con Aquiles, para que se pusieran de acuerdo.

Sin embargo, en la reunión estatal para definir la postulación de candidatos presidenciales antirreeleccionistas, Aquiles y sus partidarios votaron por Madero y Esquivel Obregón; pero fueron vencidos en las votaciones. De inmediato, volcaron su apoyo a la pareja Madero-Vázquez Gómez. Ahora sólo faltaba elegir a los delegados poblanos para la reunión nacional del Partido Antirreeleccionista, cosa que no fue fácil. Sin embargo, libradas las diferencias políticas y las dificultades económicas, la delegación poblana quedó integrada por: Nicolás Meléndez, Samuel A. Solís, Miguel C. Corona, Nicolás López, Samuel A. Piña, Eustaquio Paleta, Alfredo Ortega, Francisco Salinas, Eulalio Martínez Calderón, José María Espinoza Gómez, Alejandro Gómez y Aquiles Serdán.

Surgimiento del antirreeleccionismo

A mediados de abril de 1910, en la llama "Convención del Tívoli del Eliseo", fueron nombrados candidatos a la presidencia y vicepresidencia de la República: Francisco I. Madero y Francisco Vázquez Gómez, respectivamente.

La fecha para efectuar las elecciones presidenciales se acercaba y Aquiles Serdán formó el Comité Ejecutivo Electoral poblano, el último domingo de abril. Ya en calidad de dirigente de este organismo y en compañía de Guillermo Gaona Salazar, como vicepresidente, formalizaron la invitación a los candidatos antirreeleccionistas para que visitaran nuestra capital estatal

Con el inicio del mes de mayo, la división entre los maderistas surgió nuevamente, pues los partidarios más conservadores del maderismo formaron el "Club Central Antirreeleccionista", sin ningún nexo en el Comité Ejecutivo Electoral dirigido por Aquiles. El nuevo organismo representante de la clase media poblana quedó bajo la dirección de Gabriel Sánchez de la Vega como presidente, Everardo C. Arenas como vicrepresidente, Carlos Aldeco como primer secretario; Antonio M. Arenas y Salvador Garza en cargos menores. Se unieron a este grupo, algunos antiguos partidarios de Aquiles como: Felipe T. Contreras, los hermanos Rousset y Salvador Herrejón.

Debido a la formación del "Club Central Antirreeleccionista", Serdán amenazó con denunciar públicamente las intenciones de Aldeco y su grupo, si pretendían apoderarse de la dirección del movimiento político

Camino del Tívoli del Eliseo

antirreeleccionista poblano, sin tener méritos para hacerlo. De inmediato, Madero intervino en el conflicto y pidió a las dos partes en pugna, que esperaran su llegada para resolver las diferencias existentes.

Frenada momentáneamente la discordia entre los grupos antes señalados, el Comité Ejecutivo Electoral continuó en los preparativos para la recepción a Madero Vázquez Gómez, se planteó realizar el acto cívico en la casa de Cosme Aguilera, por tener su edificio un balcón que daba a la plaza de San José; pero el dueño fue amenazado por la policía, situación por la cual se negó a la petición de los antirreeleccionistas. Luego se intentó conseguir otros lugares, infructuosamente, hasta que el dueño del Hotel del Jardín, el italiano José Brachetti, accedió a rentar las habitaciones que daban al frente del Colegio del Estado.

Resueltos los problemas más inmediatos, el arribo de la comitiva antirreeleccionista encabezada por Madero, se efectuó el 14 de mayo de 1910. Sobre la ruta del ferrocarril de Apizaco (Tlaxcala) a Puebla, se formaron gruesas vallas humanas a los costados de la vía.

Campesinos, obreros, profesionales, intelectuales y hasta empleados públicos, que sumaban entre 25 y 30 mil simpatizantes, estuvieron allí presentes.

Ese día, en la noche, los hermanos Gaona, Rafael Torres y el "Club Femenil Antirreeleccionista Josefa Ortiz de Domínguez", instalaron un estrado en terrenos de un predio no urbanizado del Barrio de Santiago, punto final del recorrido. Al día siguiente, los simpatizantes de Madero y Vázquez Gómez realizaron una jornada cívico-política indicada en el Paseo Nuevo para después, marchar hasta la estatua conmemorativa a la Independencia y continuar por la Avenida Nicolás Bravo hasta el Barrio de Santiago. Ahí finalizó con los discursos de un líder estudiantil del Colegio del Estado y el del candidato presidencial. Mientras, en el centro de la Angelópolis, el gobierno realizaba una manifestación pero en apoyo del régimen porfirista.

El 17 de mayo, Madero dejó nuestro territorio estatal, después de haber consolidado el apoyo de nuevos simpatizantes, provenientes de todas las clases sociales.

Madero fue aclamado, en Puebla

Fraude electoral de la dictadura

Debido a los frecuentes encarcelamientos y persecuciones que sufrieron los antirreeleccionistas en todo nuestro territorio nacional y estatal, el 22 de mayo de 1910, Aquiles Serdán reunió a sus partidarios para proponerles un plan de rebelión armada, puesto que para este caudillo, las elecciones presidenciales no garantizaban el triunfo sobre el gobierno porfirista.

A esta proposición se opuso Francisco Salinas quien sugirió esperar hasta la realización de las elecciones. Pero a fines de ese mes, Salazar, Rojano y los hermanos Gaona, con el fin de informar y pedir instrucciones del señor Madero, partieron clandestinamente hacia la Ciudad de México. En el camino se entrevistaron con Eustacio Paleta, jefe antirreeleccionista de Cuautlalcingo, quien les informó que la gente de Atlixco y Cholula estaba dispuesta a tomar las armas para luchar contra el gobierno porfirista.

En el despacho de Francisco I. Madero, localizado en la calle de Berlín, en la Ciudad de México, los enviados poblanos recibieron la negativa del candidato antirreeleccionista para desarrollar la lucha armada. Sin embargo, las protestas por los encarcelamientos de partidarios maderistas seguían creciendo.

A principios de junio, Serdán intentó liberar a los antirreeleccionistas encarcelados en la capital poblana, pero tue imposible. A los 150 reos ya los

El antirreeleccionismo no quería, inicialmente, la violencia armada

habían trasladado a Yucatán. Ahí murió la mayoría, debido al mal trato y al trabajo excesivo a que fueron sometidos.

Porfirio Díaz, consciente del creciente descontento, ordenó encarcelar a Madero y a Roque Estrada, cuando éstos se encontraban en Monterrey. Después, fueron trasladados a la Ciudad de San Luis Potosí; se les daría la libertad, hasta después de efectuadas las elecciones presidenciales. Aún faltaba aprehender a Francisco Vázquez, quien ocupaba el cargo de candidato antirreeleccionista a la vicepresidencia de México.

Aquiles, al tener noticia de estos acontecimientos, decidió renunciar al cargo de presidente del Comité Ejecutivo Electoral, el 15 de junio de 1910. Si él fuera aprehendido, la causa seguiría su camino en manos del Club Central Antirreeleccionista. Pero su renuncia no fue aceptada. Ese mismo día, en Puebla, fue cerrado el periódico "México Nuevo" por orden del gobernador estatal Miguel Mucio Martínez.

El día 22 de junio, Vázquez Gómez fue aprehendido. Cuatro días más tarde, se efectuaron las fraudulentas elecciones, por las que Porfirio Díaz y Ramón Corral asumieron el cargo de presidente y vicepresidente de México respectivamente. La indignación fue generalizada en todo el país. Pronto surgieron muestras de ello.

Los estudiantes poblanos se unieron a los obreros y campesinos para protestar contra el gobierno porfirista; diéronse cita el siete de julio, a partir de las tres de la tarde, en la Plaza de San José para de ahí, marchar por el Paseo Nicolás Bravo hasta la Estatua de la Independencia.

Dr. Francisco Vázquez Gómez

La policía recibió orden de bloquear el paso de la ciudad. Pero aun así, a las siete de la noche, la muchedumbre silenciosa se reunía. Mientras, Serdán intentaba burlar la vigilancia policíaca apostada a la salida de su casa y reunirse con los manifestantes.

A las ocho treinta, se encendieron varios miles de luces que ordenadamente, empuñaron los estudiantes, obreros, campesinos, pequeños comerciantes, empleados del gobierno y gente de la clase media poblana.

Cuando llegó la columna al Templo de Santa Teresa, un batallón de caballería de rurales, con machete arremetió contra la gente que, aterrorizada, empezó a correr hacia la plaza donde se efectuaba una tranquila serenata en el kiosco. Unos huían, otros pretendían hacer

La manifestación fue reprimida

frente a la caballería y por todos los lados quedaron sangrientos testimonios de aquéllos que quisieron manifestar su inconformidad.

De inmediato se giraron órdenes de aprehensión en contra de Aquiles y de los otros dirigentes antirreeleccionistas poblanos. Por la mañana del 15 de julio, la policía registró la casa de los Serdán en busca de Aquiles, pero éste se había ocultado un depósito de armas localizado bajo el tocador de Natalia. Al no encontrarlo, la policía mantuvo la casa bajo custodia, a pesar de la insistente afirmación de Filomena, la esposa de Aquiles, de que su marido había salido de Puebla hacia México un día antes.

Aquiles envió una carta al licenciado Trinidad Sánchez, quien era el director del periódico "El País". Ese mismo día se publicó la protesta que hacía Serdán por el cateo de su casa. Temeroso de ser aprehendido y ayudado por Miguel Rosales, se planeó la fuga. Oculto Aquiles en una caja, fue transportado por un par de cargadores contratados y lo dejaron en casa de Rosales.

En dicho lugar, Aquiles permaneció oculto por más de quince días. Disfrazado de turista inglés, burló la estrecha vigilancia en territorio poblano hasta llegar a la Ciudad de México. Durante su estancia en la capital de la República, tuvo noticias de que Madero pretendía huir de San Luis Potosí e iniciar el movimiento armado en contra del gobierno porfirista.

Fue por esto que Aquiles decidió ir a San Antonio, Texas (Estados Unidos), pues sabía que en ese lugar

Penitenciaría de San Luis Potosí

se reunirían los más importantes antirreeleccionistas de todo México. Llegó a principios de septiembre y de inmediato, se puso en contacto con sus correligionarios. Pero fue hasta el seis de octubre cuando Madero huyó de esa ciudad; algunos días después, llegó a San Antonio.

Madero, Roque Estrada, Federico González Garza, Enrique Bordes Mangel y Juan Sánchez Azcona se dieron prisa para redactar e imprimir el plan militar y político, que dieron a conocer con el nombre de "Plan de San Luis Potosí", porque fue en dicho lugar donde se ideó. En esta tarea, la seguridad de los antirreeleccionistas estuvo a cargo de Aquiles Serdán y un grupo partidiarios; en la impresión de los ejemplares, ayudaron los hermanos José y Fausto Nieto, de origen poblano.

En dicho documento, los maderistas desconocieron al gobierno porfirista y proponían a Madero como presidente provisional, hasta efectuar elecciones legales. El día 20 de noviembre de 1910 fue señalado para iniciar la lucha armada que tenía como lema el de "Sufragio Efectivo. No Reelección". Además, se propuso llevar a cabo la restitución de tierras a quienes habían sido despojados ilegalmente de ellas e iniciar la desaparición de los latifundios.

Mientras Aquiles recibía instrucciones para regresar a Puebla e iniciar la organización del movimiento armado, Gilberto Carrillo y Samuel Solís iniciaron la edición del periódico "No Reelección" con el fin de mantener viva la llama de los anterreeleccionistas.

Jornada por la libertad

A fines de octubre, Aquiles Serdán abandonó San Antonio Texas y regresó a nuestra capital estatal. Mientras, su hermana Carmen salía de Puebla para entrevistarse con Madero, pues era indispensable que Aquiles siguiera en la dirección del movimiento antirreeleccionista poblano. A Carmen se le encomendó la tarea de efectuar el traslado del dinero y las órdenes escritas.

En los primeros días de noviembre, Aquiles llegó a la Ciudad de Puebla y trató de mantener oculta su presencia. Carmen, después de entrevistarse con Madero, partió rumbo a Monterrey con instrucciones de visitar a Gustavo A. Madero. Dicho personaje le entregaría cierta cantidad de dinero. Una parte sería destinada a las acciones insurreccionales en el área del Distrito Federal; la otra para que Aquiles surtiera a sus correligionarios de armas y parque.

El día 13 de noviembre y en casa de los Serdán los principales antirreeleccionistas poblanos se reunieron con el fin de conocer y difundir el "Plan de San Luis", fijar las formas de organización y la distribución de armas y municiones.

La casa de la familia Serdán, localizada en la Calle de la Portería de Santa Clara número cuatro, fue convertida rápidamente en la jefatura de operaciones; contaría con diez ciclistas como mensajeros, 40 hombres como vigías, repartidos en las torres de los templos céntricos de la ciudad. Sesenta hombres más

Aquiles Serdán

Carmen Serdán

Comandante Miguel Cabrera

Coronel Joaquín Pita

vigilarían desde el Mercado de San Cristóbal, y en unión de otros 200 repartidos de 20 en 20, bloquearían las calles cercanas, para evitar un ataque sorpresivo desde los cuarteles militares de San José, San Francisco y Zaragoza.

Su plan militar pretendía ser sorpresivo para preparar la toma de nuestra capital estatal de la siguiente manera: A las cuatro de la mañana el 20 de noviembre de 1910, Aquiles iniciaría el bombardeo con dinamita y abriría fuego desde su casa y daría la señal de combate. De inmediato, un grupo armado y dirigido por Rómulo García Guevara y Eustaquio Paleta atacarían el Cuartel Zaragoza, mientras que los obreros de Panzacola, Santa Bárbara, Santa Cruz y Tlaxcala irrumpirían en el Cuartel de San José. Además, otros ochocientos hombres, divididos en tres grupos, ayudarían al ataque del Cuartel San José; los otros se ocuparían de combatir al Cuartel de San Francisco y al de policía.

Tres grupos más, compuestos por 50 ferrocarrileros cada uno, se presentarían en la casa del gobernador Mucio P. Martínez, del jefe militar Miguel Cabrera y del jefe policíaco Joaquín Pita para aprehenderlos. Al quedar la Angelópolis en poder de los antirreeleccionistas, Aquiles tomaría el cargo de gobenador provisional y formaría un consejo de gobierno con Rafael P. Cañete, Benito Rousset, Alfonso G. Alarcón, Guillermo Gaona Salazar, Francisco Salinas y Samuel A. Solís.

En este plan, también se incluían a gentes de Cholula dirigidas por Sebastián Rojas y por su hijo Rafael; el contingente de Huejotzingo y San Martín Texmelucan estarían mandados por los hermanos Pinto y por los hermanos Sánchez de Zacatelco. Vencidas las fuerzas del gobierno porfirista, los rebeldes se replegarían hacia La Malinche y en diversos sitios, levantarían la vía férrea que unía a la Ciudad de México con la de Puebla, para

El combate fue encarnizado

evitar que llegara pronto auxilio.

Carmen y Natalia se habían convertido en hábiles contrabandistas de armas, compradas en la ferretería llamada "El Candado", propiedad de Miguel Rosales, quien era distribuidor exclusivo de las armas Winchester. Pero al ser descubierto dicho establecimiento por la policía poblana, los conspiradores crearon la compañía Tampico News que tenía su domicilio en la casa de los Rousset; allí recibían las armas y la pólvora. Además, fue comprada la ferretería "La Sorpresa", localizada en la esquina de Guevara e Independencia.

Máximo Serdán y Manuel Velázquez también se dieron a la tarea de transportar armas y municiones, de la Ciudad de México a nuestra capital estatal. Pero los agentes policíacos, disfrazados de civiles, pronto se enteraron de los planes antirreeleccionistas y pusieron al tanto a las autoridades estatales.

Inmediatamente se organizó el cateo de todas las casas de los sospechosos; como la familia Serdán ya estaba enterada, decidieron que en la noche del jueves 17 de noviembre, los cinco hijos de Natalia y los dos de Aquiles fueran llevados a la casa de Miguel Rosales, con el fin de que se salvaran de ser aprehendidos.

Sólo quedaron en la casa de los Serdán: Aquiles, Doña Carmen su madre, Filomena su esposa, sus hermanos Carmen y Máximo, además de Fausto Nieto, Epigmenio Martínez, Manuel Velázquez, Vicente Reyes, Miguel Patiño, Miguel Sánchez, Andrés Robles, Carlos Corona, Juan Cano, Francisco Sánchez, Francisco Yépez, Martín

Pérez y Luis Teyssier, quienes eran fieles correligionarios.

Pasaron la noche en vela, con las armas en la mano. A la mañana siguiente, mientras la mayoría desayunaba, Aquiles y Manuel Velázquez se encontraban en el despacho con el fin de escribir una nota.

De pronto, Miguel Cabrera junto con el mayor Fructuoso Fregoso, al frente de unos cuantos soldados, se presentaron en la casa de los Serdán. Al abrirles la puerta, Cabrera fue inmediatamente muerto por el impacto de la primera bala; fue iniciado un sangriento combate en el que el ejército sufre una baja de 200 efectivos.

Los defensores de la casa también son abatidos con excepción de Aquiles Serdán, quien se había ocultado en su pequeño sótano que había en el comedor. Debido al sofocamiento provocado por una pulmonía fulminante, Aquiles Serdán sale de su escondite durante la noche. Al momento de salir, es abatido por el centinela que se encontraba de guardia. Con estos hechos, fue iniciada la lucha armada de 1910.

La casa de los Serdán es actualmente un museo

Porfiristas, maderistas y zapatistas

A partir del 20 de noviembre de 1910, la insurrección dirigida por Madero se extendió por toda nuestra Nación. Nuestro territorio estatal fue testigo de cuantiosas acciones militares de los insurrectos. Por ejemplo, Juan Cuamatzin encabezó la lucha en la zona de la Malintzin; se apoderó de la fábrica de hilados y tejidos "Los Molinos", cerca de Atlixco y posteriormente, de Izúcar de Matamoros.

El coronel Eduardo Reyes se unió a Cuamatzin, mientras otros jefes antiporfiristas surgieron en nuestro territorio estatal y los circunvecinos. Entre ellos podemos mencionar a Benigno Zenteno, quien dominó la zona entre Atoyac y San Martín Texmelucan; Francisco A. García logró apoderarse de Huiaquechyla, Tecama, Chiautla, Huejotzingo y Atlixco; además, Ramón Ramos Recio tomó las plazas militares de Tlacotepec (Benito Juárez) y Tecamachalco.

Todos estos caudillos y jefes que se habían insurrecionado en territorio poblano, en unión con el coronel Guillermo Castillo Tapia, quien contaba con 3 000 hombres, se pusieron bajo las órdenes de Emiliano Zapata. Este grupo zapatista se extendió a Chiautla, al sur de Izúcar de Matamoros y Acatlán, en Puebla, abarcando también los estados de Morelos y Guerrero.

En la región serrana del norte de nuestra entidad, el general Antonio Medina nombró a cuatro generales: Rafael Cárdenas, Gabino Bandera

Madero triunfante fue aclamado

Mata, Gilberto Castillo Saavedra y Rafael de la Torre. Además les dio el cargo de coroneles a Marcelino Portilla, Federico Diñorín y Luis Viñales Corsi para cubir la zona noreste de la sierra, desde Nopalucan y Alchichica hasta Teziutlán, Zacapoaxtla y Cuetzalan. Al noroeste de la serranía poblana, en la región de Huauchinango a Metlaltoyuca y hasta Zacatlán, el general Gilberto Camacho junto con los hermanos Esteban, Emilio y Gaspar Márquez, Carlos y Arnulfo Vidal Gómez, Gabriel Hernández de Pantepec, Emilio Vaquer y su hijo Filiberto oriundos de Jalpan, lograron dominar la zona.

Para el mes de marzo de 1911, el movimiento armado maderista logró disminuir el poderío militar porfirista, al grado de que Porfirio Díaz pidió ante el Congreso de la Unión, la suspensión de las garantías individuales y la imposición de la ley marcial en todo el territorio nacional, para facilitarle al ejército federal su lucha contra los insurrectos.

Llegó a Puebla el 13 de julio de 1911

De esa manera, el general Aureliano Blanquet, por órdenes del gobierno federal, inició la represión del movimiento zapatista en el centro y sur de nuestro país. Logró derrotar a Juan Cuamatzin en el Rancho de Xaltetelco, lugar donde fue aprehendido y conducido a Puebla. Luego fue llevado a Panzacola para ser fusilado el 26 de abril de 1911.

En poco tiempo, los acontecimientos se precipitaron en contra de la dictadura porfirista, en el sur y centro de nuestro país, el movimiento zapatista tomó ventajosas posiciones. En nuestro territorio estatal, se apoderaron de Tehuacán el 14 de mayo de ese mismo año y siguieron avanzando hacia la Ciudad de México. Día a día, el cerco sobre el gobierno porfirista fue cerrándose más, hasta que el día 22 de ese mes, se logró pactar la rendición de Díaz por medio de los "Tratados de Ciudad Juárez"

El documento firmado por maderista y porfiristas contenía los siguientes puntos: Díaz y Ramón Corral renunciarían ante el Congreso de la Unión; Francisco León de la Barra desempeñaría el cargo de presidente interino y convocaría a elecciones presidenciales a la brevedad posible. Finalmente fue planteado que el siete de junio de 1911, Madero arribaría a la capital de la República para iniciar el desarme de los ejércitos populares, que se había levantado en armas a partir del 20 de noviembre de 1910.

Camino del Plan de Ayala

El 6 de noviembre de 1911, Madero asumió el cargo de presidente constitucional de México y José María Pino Suárez, el de vicepresidente para el período 1911-1915. Sin embargo, los ministros y secretarios de estado que formaban el gabinete maderista, en su mayoría eran antiguos porfiristas. Pusieron impedimientos para que el Poder Ejecutivo actuara libre y eficazmente en favor de lo prometido en el "Plan de San Luis".

Bajo esta situación, el grupo zapatista tomó otra actitud ante las negociaciones para el desarme del ejército popular. Madero nombró al licenciado Gabriel Robles Domínguez para tratar de conciliar. Con este fin, el emisario maderista se instaló en la Ciudad de Cuautla desde el 8 de noviembre de ese mismo año.

Las primeras reuniones entre Robles Domínguez y Zapata permitieron que tres días después, fueran redactadas las "Bases para la rendición de las fuerzas del general Zapata"; pero al mismo tiempo, las tropas federales iniciaban un repentino movimiento

Zapata proclamó al Plan de Ayala desde Ayoxustla

para copar a los zapatista en Villa de Ayala. Robles Domínguez telegrafió a Madero, pidiéndole que suspendieran las actividades militares en el estado de Morelos hasta que terminaran las negociaciones con Zapata.

Después de sortear muchas dificultades, Robles Domínguez logró enviar con Jesús Cázares, la carta que Madero le había escrito a Zapata. El jefe suriano confirmó sus temores después de leer el texto. En cuanto el mensajero federal abandonó la Villa de Ayala, se inició el bombardeo y la operación militar de copamiento. A raíz de esto, el ejército zapatista rompió el cerco y escapó con rumbo a la frontera estatal entre Morelos y Puebla.

Algunos días más tarde, las tropas zapatistas llegaron a Miquetzingo en territorio poblano, zona donde se mantenían en lucha Jesús Morales y Francisco Mendoza entre otros jefes zapatistas. De ese lugar, Zapata y Otilio Montaño, junto con sus tropas, se trasladaron al corazón de la sureña serranía poblana hacia Ayoxustla. En esta serranía, los jefes sureños desconocieron al gobierno maderista.

En tres días, Emiliano Zapata y Otilio Montaño redactaron el conocido "Plan de Ayala" Reunieron a los jefes zapatistas de Guerrero, Morelos, México y Puebla el 28 de noviembre de ese 1911, en el poblado de Ayoxustla (municipio de Huehuetlán el Chico). El maestro y general Otilio Montaño dio lectura al documento en medio de una solemne ceremonia, en la que se juró lealtad a la bandera nacional y al "Plan de Ayala". Firmaron todos los presentes el trascendental escrito.

El documento contenía los siguientes puntos básicos: Desconocimiento de Madero y Pino Suárez como presidente y vicepresidente respectivamente, al no haber cumplido con el reparto y la restitución de tierras prometidas en el "Plan de San Luis". Se pedía la nacionalización de las propiedades de hacendados y terratenientes que no aceptaran cumplir con la restitución de tierras arrebatadas ilegalmente a comunidades, pueblos o particulares afectados. Y por último, se propuso a Pascual Orozco como jefe del movimiento armado y en ausencia de éste, Emiliano Zapata lo supliría hasta hacer triunfar la causa y lograr sus objetivos.

Después de este histórico acontecimiento, Zapata regresó al estado de Morelos. Acampó en Ajuchitlán, cerca de San Miguel Ixtlixco y del mineral de Huautla. Ordenó el caudillo a tres subalternos que llevaran a su presencia al párroco de este último lugar. Una vez reunidos, Zapata mostró el texto del "Plan de Ayala" al sacerdote y le pidió mecanografiar varios ejemplares, tarea que fue bien aceptada y realizada sin contratiempos.

En Morelos y Puebla, pronto se reanudaron las actividades militares. El 9 de diciembre, los zapatistas tomaron Huejotzingo; el día 13, San Martín Texmelucan y al día siguiente, Atlixco., Champusco sirvió como base para incursionar en las haciendas de San Carlos, Guadalupe y El Moral, a la par de permitir la coordinación de los zapatistas en Guerrero, México, Morelos y Puebla.

El fin de Madero y la usurpación huertista

El "Plan de Ayala" pronto se dio a conocer en todo el país. A partir de su edición en "El Diario del Hogar", el 15 de diciembre de 1911, alcanzó a traspasar las fronteras de nuestra Nación. Mientras que Madero quería pactar, el gabinete maderista pretendía reprimir al movimiento zapatista.

El movimiento obrero, por su parte, guiado por el Partido Liberal Mexicano, ayudó a la fundación de la Confederación Nacional de Trabajadores en diciembre de 1911. Al año siguiente, esta confederación permitió la creación de la Casa del Obrero Mundial. La pronta organización obrera motivó a Madero para establecer, a fines de 1911, el Departamento de Trabajo; éste estudiaría las condiciones del trabajo asalariado y crearía una legislación para reglamentarlo.

La participación de los obreros poblanos pronto se vio comprometida con el movimiento zapatista, que avanzaba nuevamente retomando poblaciones y territorio. En febrero de 1912, el ejército del sur atacó San Miguel Canoa, Chietla y Acatlán. Después de 15 meses de gobierno maderista el 9 de febrero de 1913, se inicia la Decena Trágica, en la que Victoriano Huerta fue el principal protagonista.

El 18 de febrero de 1913, en la embajada norteamericana en la Ciudad de México, por órdenes de

El movimiento obrero cobró gran fuerza

Huerta, el general Blanquet quedó comisionado para tomar prisioneros a Madero y Pino Suárez.

Un día después, Madero y Pino Suárez fueron presionados para renunciar a sus cargos. Como presidente interino quedó el licenciado Pedro Lascuráin, quien nombró a Victoriano Huerta como Ministro de Relaciones. Al reununciar Lascuráin a la presidencia, Huerta asumiría la primera magistratura de la Nación.

El 22 de febrero de 1913, Madero y Pino Suárez fueron asesinados en la parte posterior de la Penitenciaría de Lecumberri en la Ciudad de México, por el mayor Francisco Cárdenas que se encontraba bajo las órdenes de Huerta.

Una vez más, nuestra nación se vio envuelta en luchas entre mexicanos. Ahora, por otros motivos y con otros objetivos se continuaría combatiendo.

El asesinato de Madero y Pino Suárez, unido al hecho de usurpación del poder por Victoriano Huerta, motivaron muestras de reprobación en la opinión pública nacional e internacional. Esto sirvió de ambiente propicio para que Venustiano Carranza, entonces gobernador de Coahuila, pidiera a la legislatura de su estado que fuera desconocido Huerta como presidente. Él pedía facultades para restablecer el orden constitucional y un gobierno democrático y legal en el país.

La legislatura aceptó la propuesta y Carranza envió una circular a los gobernadores de los estados, invitándolos a secundar el movimiento armado que él encabezaría.

El 26 de marzo de 1913 se dio a conocer el Plan de Guadalupe, llamado así por haberse firmado en la hacienda coahuilense del mismo nombre. En dicho documento se desconocía al general Victoriano Huerta como presidente de la Nación, lo mismo que a su gabinete y a los gobernadores estatales que no se unieran al Plan. Carranza fue nombrado primer jefe del ejército que se llamaría constitucionalista, por tener la labor de defender la Constitución de 1857.

En poco tiempo se dio a conocer el Plan de Guadalupe en todo el país. Una gran cantidad de simpatizantes se adhirieron a él. Se formaron cuatro columnas militares: la del noroeste, comandada por Álvaro Obregón; por el norte, Francisco Villa; por el noreste, Pablo González, y en el sur, Emiliano Zapata quien continuaba apoyando al Plan de Ayala.

Los principales jefes zapatistas en la región poblana fueron: Genovevo de la O, Jesús Magaña, Marcelo Caraveo, Carlos Alfaro, Valentín Reyes, Pedro Telpalo, Domingo y Cirilo Arenas, Fortino Ayaquica, Francisco Mendoza, Rafael Espinoza —quien fungió como gobernador del estado de Puebla durante la ocupación zapatista en la capital estatal—, José Cruz —secretario de Zapata— y otros muchos líderes que han quedado en el anonimato.

Los jefes zapatistas Genovevo de la O y el propio Zapata, de inmediato giraron órdenes; desconocían al gobierno huertista y a todo aquel que se les uniera. Fue iniciada, además, desde febrero, una campaña de reunificación de los jefes zapatistas en los estados de Morelos, México y Puebla.

Derrota del mal gobernante

Octubre de 1913 fue un mes de grandes contrastes en la situación política y militar. Por una parte, Huerta había anunciado la realización de elecciones constitucionales en ese mes y apoyó a Federico Gamboa como candidato del partido católico. Por su parte, Zapata, el día veinte lanzó un manifiesto a la Nación, desde su campamento en territorio morelense; fue un documento que ponía al descubierto la política electoral corrupta del huertismo y llamaba al pueblo de México a seguir luchando contra el gobierno usurpado por Huerta.

La disolución de la Cámara de Diputados y Senadores decretada por Huerta el 11 de octubre, se debió a la presión que el Poder Legislativo ejercía sobre el gobierno huertista, que ni efectuaba elecciones ni podía pacificar al país. Como resultado de este acto represivo, varios diputados y senadores fueron encarcelados y otros asesinados.

Luego que los zapatistas poblanos dejaron Teziutlán, se reagruparon

Huerta ordenó la disolución de la legislatura

hacia el sur; empezaron a tener mayores dificultades para aprovisionarse debido al cerco que el gobierno huertista tendió sobre ellos.

Sin embargo, la represión huertista se multiplicaba con mayor furia. En Puebla, el ejército federal incendió las poblaciones de San Miguel Tenango, San Andrés y San Bartolo. Los zapatistas, en los primeros días de marzo, tomaron nuevamente Zacatlán, Libres y Teziutlán. A su vez, las fuerzas federales realizaron un ataque simultáneo sobre las poblaciones serranas de Zacapoaxtla, Tlatlauqui y Zacatlán, pero no lograron tomar dichos lugares.

En julio de 1914, el dictador renunció

El gobierno huertista, lejos de ser reconocido por país alguno, empezó a ser bloqueado por Estados Unidos de América. Esto motivó que el dictador mexicano reuniera, el 21 de marzo de 1914, a su Secretario de Hacienda y a los gerentes del Banco Nacional de México, Banco Central Mexicano y del Banco de Londres y México. El asunto a tratar, principalmente, fue el préstamo de 50 millones de pesos, que el gobierno necesitaba para comprar material bélico y pagar los sueldos de funcionarios y del ejército.

Pocos meses antes que la Primera Guerra Mundial se iniciara, Huerta pactó con los gobiernos de Alemania y Japón para recibir ayuda económica, política y militar.

El gobierno de Estados Unidos de América, al tener conocimiento del pacto realizado por el gobierno huertista, decidió intervenir más abiertamente. Así, la marina norteamericana decidió tomar el puerto jarocho el 21 de abril de 1914, con el inevitable derramamiento de sangre mexicana.

En medio del combate contra los contitucionalistas y los invasores norteamericanos, el gobierno huertista se debilitó profundamente. Fue por esto que Huerta decidió reinstalar al Congreso de la Unión y presentar ante él, su renuncia el 15 de julio de 1914. Entregó el cargo interinamente a Francisco Carbajal; a media noche de ese día, partió de la Ciudad de México rumbo a Coatzacoalcos, puerto en el cual se embarcó en el vapor Dresden con destino a Estados Unidos de América, donde murió años más tarde.

Rumbo a la Convención

A principios de agosto de 1914, la Ciudad de México estaba rodeada por zapatistas y constitucionalistas. El 15 de agosto fueron firmados los Tratados de Teoloyucan (en el estado de México) por los generales Álvaro Obregón y Gustavo A. Salas. Uno de los puntos tratados era la disolución del ejército federa. El general José Refugio Velazco fue comisionado por Obregón para verificar el licenciamiento en Puebla.

Zapata al tener noticias de estos últimos acontecimientos, pidió una entrevista con Carranza. La posición del jefe sureño, consistía en convencer a Carranza para que el constitucionalismo se uniera al zapatismo. Carranza por su parte pretendía que el zapatismo al igual que el villismo, se sometieran al supremo poder constitucionalista, licenciando a sus tropas. De lo contrario amenazaba con someterlas militarmente.

Sin embargo, esta intensa labor negociadora entre Carranza, Zapata y Villa pronto se interrumpió, cuando el día 22 de septiembre, Villa resolvió desconocer a Carranza y al constitucionalismo.

Llegó la fecha de la Convención. En la Cámara de Diputados y Senadores de la Ciudad de México, se reunieron los gobernadores y jefes militares constitucionalistas, entre los que se incluyó al general Francisco Coss, como representante del Poder Ejecutivo del territorio poblano.

El 4 de octubre, Carranza se presentó ante la Convención y señaló que dicha reunión tenía por objeto, elegir autoridades legalmente constituídas y conformar

Las opiniones se dividieron en la Convención

un plan de reformas económicas, políticas y sociales a la constitución que sintetizaran las aspiraciones e ideales del movimiento armado iniciado en 1910.

Al día siguiente la Convención decidió suspender las sesiones y trasladarse a la Ciudad de Aguascalientes, donde se reiniciarían las pláticas el 10 de octubre.

El 17 de octubre, delegados villistas fueron aceptados, mientras que Villa permaneció fuera del recinto de sesiones.

Una semana después, los representantes zapatistas llegaron a la Ciudad de Aguascalientes para presentarse ante la Convención. Entre los asistentes se encontraba Rafael de la Torre, representante del gobernador de Puebla Francisco Coss, y los jefes militares poblanos Guillermo Castillo Tapia en representación con Abraham Cepeda y Esteban Márquez, entre otros.

El primer día de noviembre fue de grandes discusiones en la Convención, pues se tenía que elegir a un nuevo presidente provisional de la República. la votación favoreció al general Eulalio Gutiérrez, quien tomó posesión del cargo cinco días después.

Enterado Carranza de la elección convencionista, abandonó la Ciudad de México y se dirigó a territorio poblano, pues la candidatura de Eulalio Gutiérrez no convenía al constitucionalismo. El gobernador Francisco Coss recibió a Carranza y le ofreció un banquete en el Teatro Zaragoza. El general Coss pronunció un discurso en el que se declaraba a favor de Carranza; además giró mensajes telegráficos para informar a sus delegados en la Convención, que debía retirarse de dicha asamblea.

Esa misma noche, los generales Villarreal, Obregón y Aguirre, después de recibir los telegramas del gobernador, abandonaron Aguascalientes. Al día siguiente se dio a conocer en un telegrama del general Coss, la decisión de Carranza que desconocía a la Convención.

En la sesión del 6 de noviembre, la Convención se vio disminuída por la ausencia de los representantes constitucionalistas que habían apoyado a Carranza. Eulalio Gutiérrez dio lectura a un "Manifiesto a la Nación", en el que pedía unión entre los convencionistas y cordura en las negociaciones con los carrancistas.

Pero la respuesta de Carranza a la Convención fue contundente, pues imponía sus condiciones sin dejar posibilidad de negociar a Villa, Zapata y a la Convención. Ese mismo día en los estados de México y Puebla, se efectuaron combates entre convencionistas y constitucionalistas, ahora llamados carrancistas. Izúcar de Matamoros, Atlixco y Los Frailes fueron defendidos por el general carrancista Fortunato Maycotte, quien logró detener por poco tiempo a los zapatistas.

Carranza, enterado de los acontecimientos, salió de territorio poblano y se dirigió al Puerto de Veracruz, con el fin de instalar provisionalmente su gobierno en dicho lugar. La división entre convencionistas y constitucionalistas se había dado; pasarían varios años antes de que nuestro país volviera a tener tiempos de paz.

Constitucionalistas y convencionistas

El 2 de diciembre de 1914 partió de la Ciudad de México, una comisión de representantes convencionistas que llegó ese mismo día a Cuernavaca para entrevistarse con Zapata e invitarlo a integrarse definitivamente al convencionismo. El jefe suriano aceptó y propuso que dos días después se reunirían villistas y zapatistas en Xochimilco (al sur del Distrito Federal) para conferenciar. Así se formó el llamado Pacto de Xochimilco.

Zapata partió días después a la capital poblana con intenciones de derrotar y desalojar a los constitucionalistas del lugar. Los constitucionalistas abandonaron la ciudad y Zapata ocupó pacíficamente la Ciudad de Puebla ese mismo día.

A fines del año de 1914, los zapatistas dejaron Puebla para dirigirse a su cuartel general de Tlaltizapán, estado de Morelos. Dejaron la capital poblana en poder de los generales Almazán, Argumedo y Aguilar, quienes hicieron tratos con algunos partidarios locales de la rebelión, iniciada poco antes por el general Félix Díaz, en Oaxaca, en contra de constitucionalistas y convencionistas.

Hacia el 4 de enero, Obregón sitió la capital poblana y tras fuertes combates logró apoderarse de la ciudad. En compañía de los generales Salvador Alvarado y Francisco Coss, iniciaron las actividades militares en contra de los zapatistas. El coronel Luis G. Cervantes fue nombrado gobernador del estado por parte de los constitucionalistas.

Carranza, desde Veracruz, decretó la llamada "Ley del 6 de Enero de 1915", en la cual procedía a efectuar la reforma agraria en el

General Felipe Angeles

General Manuel Palafox

Carranza decretó la ley del 6 de enero de 1915

país, bajo los muy particulares lineamientos que el jefe constitucionalista le dio. Chocaba en algunos puntos con lo planteado al respecto en el Plan de Ayala.

Para contrarrestar el efecto de la disposición agrarista de Carranza, la Convención nombró al general zapatista Manuel Palafox como Secretario de Agricultura. A mediados de enero, 95 jóvenes agrónomos fueron designados por la Convención para realizar el deslinde y el reparto de tierras en los estados de Morelos, México, Distrito Federal y Puebla. Además, Palafox confiscó los ingenios azucareros y las destilerías de alcohol de caña para rehabilitarlos, entregarlos a los campesinos y hacer empresas que funcionaran para el servicio público.

El 16 de enero de 1915, el general Eulalio Gutiérrez abandonó el cargo que la Convención le había otorgado. Seis días más tarde, el general Obregón, luego de las campañas militares en los estados de Puebla y México, logró tomar la Ciudad de México después de que los convencionistas habían salido rumbo a Toluca y Cuernavaca.

Para marzo de ese año, la Convención logró desalojar a los constitucionalistas de la Ciudad de México y reocupó la capital. Pero entonces surgieron diferencias entre González Garza y Palafox. Dicho altercado culminó con la destitución de González el 1º de mayo y en el reemplazo de éste por el licenciado Francisco Lagos Cházaro, quien ocupó el cargo a partir del 10 de junio.

Nuevas batallas entre constitucionalistas y villistas. El 2 de agosto, el general Pablo González, constitucionalista, ocupó la Ciudad de Méxio.

La Convención se refugió, nuevamente, en Toluca. Organizó el hostigamiento sobre los constitucionalistas de Pablo González, para lo cual se planeó atacar por varios rumbos en los estados de México, Morelos, Puebla y el Distrito Federal. Los convencionistas, en septiembre, lograron apoderarse de la planta de energía eléctrica de Necaxa què surtía a la Ciudad de México. Pero al no poder consolidar un control firme sobre los lugares atacados, los convencionalistas retrocedieron.

En los estados de México y Puebla, algunos jefes zapatistas aceptaron la amnistía ofrecida por los constitucionalistas, situación que empezó a preocupar a los convencionistas. sin poder resistir más, el 10 de octubre, la Convención se dividió y abandonó Toluca. Una parte se dirigió al norte, con Villa, y la otra, al sur, con Zapata.

Nueve días después, el gobierno norteamericano de Woodrow Wilson reconoció al gobierno de Carranza y la balanza del poder favoreció a los contitucionalistas. Mientras, la Convención, dirigida entonces por los zapatistas Palafox y Soto y Gama publicaron en Cuernavaca, el 26 de octubre un "Manifiesto a la Nación" en el cual se sintetizaban todos los ideales que los convencionistas habían depurado durante el año anterior.

Carranza dispuso que los Poderes de la Unión (Ejecutivo, Legislativo y Judicial) se trasladaran a la Ciudad de Querétaro. Quedaron instalados en dicho lugar el 2 de febrero, para iniciar las reformas constitucionales que contemplarían los ideales que llevaron al pueblo de México a la lucha armada.

Para mediados del mes de junio, el avance de las tropas del general Pablo González habían logrado posesionarse de los lugares de mayor importancia para los zapatistas, incluyendo el cuartel general zapatista instalado en Tlaltizapán.

Tomando como centro Tlaltizapán (Morelos), los jefes zapatistas se distribuyeron hacia el sur, en Jojutla, Tetecala, Puente de Ixtla y en Jonacatepec (Morelos); al noreste en Tochimilco y Puebla (Puebla); al norte en Ozumba y Amecameca (México); en los alrededores de Cuautla (Morelos); en la zona de Yautepec hasta Tlaltizapán (Morelos); al norte de Yautepec y en torno de Tepoztlán (Morelos); el noroeste y oeste hasta el Distrito Federal, el estado de México y Guerrero; y en Huautla (Morelos).

Durante septiembre y octubre, los jefes zapatistas suspendieron la lucha en Morelos y concentraron sus ataques en lugares de gran importancia militar en los estados de Tlaxcala, Hidalgo, México, Michoacán, Guerrero, Oaxaca y Puebla, atacando en esta última entidad, a Izúcar de Matamoros, Chietla y Atlixco.

Debemos recordar que el constitucionalismo conformado como Poder Ejecutivo, Legislativo y Judicial en Querétaro había trabajado varios meses en el proyecto de reformas constitucionales. Además, había consolidado una fuerza militar que les permitía tener control sobre más de la mitad del territorio nacional. El mismo 1o. de diciembre y cerca de Huejotzingo, Puebla, el jefe zapatista local Domingo Arenas aceptó unificar sus fuerzas a los constitucionalistas, pensando en que

El 5 de febrero de 1917 fue proclamada la nueva Constitución Mexicana

el motivo por el que había peleado se cumplía con la ley agraria de Carranza del 6 de enero de 1915.

Ante esta situación, los jefes zapatistas formaron Asociaciones para la Defensa de los Principios Revolucionarios. El 12 de diciembre, en Tochimilco, Soto y Gama, Gildardo Magaña y Enrique Bonillas establecieron la primera de dichas Asociaciones; luego, se extendieron por el centro y este de Morelos y suroeste de Puebla.

El inicio del año de 1917 fue de grandes expectativas para los constitucionalistas, puesto que los trabajos legislativos en Querétaro daban ahora sus frutos. El 5 de febrero de ese año, las reformas constitucionales dieron origen a la nueva Constitución de los Estados Unidos Mexicanos con representación y participación de todos los estados de nuestra Nación.

El estado de Puebla fue representado por los señores: Alfonso Cabrera, Federico Diorin, David Pastrana Jaimes, Gilberto de la Fuente, Pastor Rouax, José Verástegui, Froylán C. Manjarrez, Epigmenio A. Martínez, Gabino Bandera y Mata, Antonio de la Barrera, Miguel Rosales, Leopoldo Vázquez Mellado, Gabriel Rojano, Luis T. Navarro, Salvador R. Guzmán, Rafael P. Cañete y José Rivera.

Los artículos constitucionales de mayor importancia fueron el 3o, el 27 y el 123 que garantizaban, respectivamente, la gratuidad, laicidad y carácter nacionalista de la educación, las formas de propiedad de la tierra y el respeto a los derechos de los trabajadores.

Este nuevo texto constitucional es de gran importancia para nuestra vida cotidiana presente ya que, en la actualidad, el texto original de 1917 sigue rigiendo la actividad económica y nuestra organización cultural, social y política.

Derrota del zapatismo

De acuerdo a la Constitución de 1917, se hicieron las elecciones para presidente de la República y se eligió a Carranza, quien tomó posesión el 1o. de mayo de 1917 debiendo terminar el 30 de noviembre de 1920.

En ese lapso, hubo algunos enfrentamientos en el estado de Puebla como parte de la derrota del zapatismo. Izúcar de Matamoros, Chietla y Cholula fueron atacadas; pero Puebla no cayó en poder de los surianos ya que Cholula se había transformado en una fortaleza constitucionalista.

En Puebla, el gobernador Alfonso Cabrera había reunido al Congreso Estatal para que creara el texto constitucional del estado, de acuerdo a la Constitución de 1917. Esto sucedía el 8 de septiembre de 1917. En su contenido se lee: "Se declara a Puebla como estado libre y soberano en su régimen interior" y "forma parte de los Estados Unidos Mexicanos".

En abril de 1918, surgió en Puebla una rebelión encabezada por, Cirilo Arenas quien, más tarde, se uniría al zapatismo después de largas negociaciones. En septiembre de ese mismo año, junto con Higinio Aguilar y Fortino Ayaquico, Arenas se apoderó de las poblaciones de San Martín Texmelucan, Tochimilco, Huejotzingo y Cholula, además de

El 1o. de mayo de 1917, Carranza entró a la Ciudad de México

cortar temporalmente la comunicación entre México y Puebla hasta octubre de 1918.

A principios de diciembre, los gobernadores de Morelos y Puebla, González y Castro, respectivamente, iniciaron la movilización de tropas para posesionarse de las poblaciones en poder del zapatismo.

Los constitucionalistas siguieron extendiendo y afianzando su poder en el territorio nacional y la vida económica del centro del país empezaba a reanudarse. Entre Puebla y la Ciudad de México se estableció una ruta segura hasta Veracruz, de manera que, para los fines militares y económicos del gobierno carrancista, esto beneficiaba en gran medida la posibilidad de mayor dominio y estabilidad.

Tochimilco subsistía aún como cuartel general zapatista. Los intentos zapatistas para establecer alianzas cada día eran más reducidos. Sin embargo, durante el mes de marzo Zapata inició las pláticas con el coronel constitucionalista Jesús Guajardo para que éste se pasara del lado zapatista.

El 10 de abril de ese mismo año, después de una traición perpetrada por Guajardo y Pablo González, es asesinado el general Emiliano Zapata en la Hacienda de Chinameca, en el estado de Morelos.

Zapata fue asesinado en la hacienda de Chinameca

El golpe moral que habían dado al zapatismo fue celebrado por González y sus superiores de la Ciudad de México. La noticia recorrió todo el territorio nacional.

Pablo González dejó el cuartel general de Cuautla (Morelos) a cargo de los generales Francisco Cosío Robelo, Estanislao Mendoza, Fortunato Zuazua y Salvador González, para trasladarse a la Ciudad de Puebla. Cinco días después del asesinato de Zapata, 34 jefes zapatistas en unión de los principales generales del movimiento armado, Gildardo Magaña, Francisco Mendoza, Jesús Capistrán, Pedro Saavedra, Genovevo de la O y Fortino Ayaquica, proclamaron en un nuevo "Manifiesto al Pueblo Mexicano", la necesidad de cumplir con tres tareas fundamentales: consumar la obra de Zapata, vengar la muerte del caudillo y seguir su ejemplo como hombre y revolucionario.

El zapatismo siguió vivo aún muerto su caudillo; Gildardo Magaña giró órdenes para reunir a todos los representantes zapatistas en el cuartel general de Tochimilco (Puebla) pero, Francisco Mendoza se opuso al liderazgo de Magaña y se mostró renuente. Finalmente, Magaña reunió el 2 de septiembre a más de 30 jefes zapatistas en el campamento de Huautla (Morelos) a cargo de Jesús Capistrán.

Las principales representaciones zapatistas se presentaron y el día 4 de septiembre se efectuó una votación que favoreció a Magaña.

El nuevo jefe zapatista sabía que sería difícil mantener la unión y la fuerza y que la resistencia guerrillera sería prolongada. Por esta razón, el movimiento zapatista debía aliarse a otros grupos o

Los convenios de rendición de algunos zapatistas, se realizaron en Puebla

aceptar la amnistía y obtener del gobierno federal garantías de que se cumplieran las demandas campesinas.

Con este último objetivo, Magaña estableció comunicación con Carranza a través del general Lucio Blanco, quien representaba dentro del carrancismo la postura agraria más avanzada. El 28 de noviembre y en la casa de Venustiano Carranza en la Ciudad de México, se entrevistaron Carranza, Blanco y Magaña; llegaron finalmente al común acuerdo de suspender la actividad militar, a cambio de integrar a los jefes zapatistas y sus demandas agrarias en el proceso de reconstrucción nacional.

Firmados estos convenios, dos días después, Pablo González llegó a Puebla para supervisar el licenciamiento y amnistía de los jefes zapatistas de los estados de Morelos y Puebla. Para mediados de diciembre, más de veinte jefes importantes se habían rendido: Ayaquica lo había hecho el 4 de diciembre y después se retiró a Tochimilco donde fungió como presidente municipal. A partir del 1o. de enero de 1920, se consideró terminada la campaña militar en el sur y el cuartel general carrancista de Puebla dejó de existir.

General Pablo González

La sucesión presidencial pronto creó un nuevo clima de actividad política en la Ciudad de México y, en general, en todo el país. Carranza apoyó al ingeniero Ignacio Bonilla para ser candidato a la presidencia de la República, mientras los generales Adolfo de la Huerta, Plutarco Elías Calles y Alvaro Obregón se negaron a aceptar a un candidato que no tenía poder ni prestigio para el cargo.

Las diferencias políticas llegaron al extremo y el 24 de abril de ese año, el gobernador de Sonora, Adolfo de la Huerta, proclamó el llamado "Plan de Agua Prieta", llamado así por haberse firmado en dicha población fronteriza de Sonora. A este Plan se unieron Calles y Obregón. El contenido del documento consistía en desconocer a Carranza y apoyar al general Obregón en la candidatura a la presidencia.

De la Huerta, Calles y Obregón iniciaron su campaña militar de norte a sur del país; mientras que en el centro y sur de la nación, algunos antiguos zapatistas y constitucionalistas apoyaban a Obregón. Rápidamente cercaron la capital de la República. Carranza, al percatarse del peligro que corría en la Ciudad de México, decidió salir rumbo al Puerto de Veracruz.

Tlaxcalaltongo, fin de un camino

El 7 de mayo por la mañana, el contingente militar y civil que acompañaba a Carranza se embarcó en la estación de Buenavista (al norte de la Ciudad de México) en varios trenes del Ferrocarril Mexicano. Su intención era trasladarse al Puerto de

Carranza partió con la esperanza de llegar a Veracruz

Veracruz.

A la media hora de haber partido los trenes carrancistas, pudieron advertir en el horizonte, por el rumbo de la Villa de Guadalupe, una línea que avanzaba lentamente y se extendía formando una nube blanca. Eran las tropas de Pablo González y sus subordinados que entraban en la Ciudad de México, provenientes de Puebla.

Poco más tarde, el para entonces general Jesús Guajardo ordenó soltar una locomotora sin tripulación a toda velocidad tras el grupo de trenes carrancistas. la locomotora "loca" alcanzó al último tren y lo detuvo por los destrozos que ocasionó. Guajardo llegó enseguida y capturó tanto a los sobrevivientes como a los pertrechos que llevaban.

En Tepexpan (estado de México) se unieron a Carranza los generales Francisco Murguía y Heliodoro Pérez. Por la noche, la comitiva presidencial llegó a la estación de Apizaco (Tlaxcala), donde el general Pilar R. Sánchez se incorporó al contingente carrancista. En Apizaco, se tuvo noticias de que la persecución se había iniciado en serio. Las tropas de Guajardo pronto les darían alcance. De Puebla, otro contingente se dirigía para atacarlos, y en Veracruz, el general Guadalupe Sánchez se había pasado del lado enemigo de Carranza.

Los días 9 y 10 fueron de tensión con breves combates en las inmediaciones y cercanías de Apizaco. La comitiva avanzó en los trenes hasta San Marcos, primer punto que tocó en Puebla.

En ese lugar permanecieron dos días, mientras la vanguardia aseguraba el camino a Rinconada y Aljibes, donde se hospedaron en la hacienda de ese lugar. Allí se tomó la determinación de abandonar los trenes, porque el general Guadalupe Sánchez había desmontado varios kilómetros de vía férrea adelante de la estación Aljibes y, además, el general Jacinto B. Treviño se aproximaba rápidamente por la retaguardia.

El día 13, Carranza y su comitiva partían de Aljibes a Santa María Coatepec para internarse en los llanos poblanos que los conducirían a la sierra. En San Marcos, el general Treviño recibió un telegrama urgente de los generales González y Obregón; le ordenaban apoderarse de los trenes y capturar a todos los prisioneros militares y civiles carrancistas para trasladarlos a la Ciudad de México. Pero el ejército perseguidor se conformó con incautar los bienes que los carrancistas habían dejado en los trenes. De inmediato se formó una comisión para inventariar todos los bienes; mas no se persiguió de inmediato al enemigo.

Ese día pasaron por San Miguel del Malpaís, rumbo al norte, hasta llegar a la Hacienda de Zacatepec. Por la madrugada del siguiente día, el contingente carrancista partió de ese lugar atravesando la vasta planicie de San Juan de los Llanos. Más adelante, en donde cruzaba el ramal ferroviario que va de Oriental a Teziutlán, cerca de Tepeyahualco, se efectuó la destrucción de las líneas de comunicación telegráfica.

Al día siguiente llegaron los carrancistas a Tetela de Ocampo, donde se inicia la serranía poblana. En ese lugar pudieron descansar y asearse la ropa.

Ese mismo día avanzaron hacia el pequeño villorrio de Chaltatempan con el objeto de localizar al coronel Ángel Barrios, originario de ese pequeño poblado; después, se dirigieron a Cuautempan, lugar donde acamparon para pasar la noche. Allí llegó la noticia de que Guajardo se encontraba en Tetela. El coronel Barrios, al parecer, se mantenía firme con el carrancismo. Carranza decidió aligerar el número de la columna. Ordenó por la mañana siguiente (18 de mayo) que los civiles y los cadetes del Colegio Militar regresaran a la Ciudad de México o a donde pudieran.

Poco después de abandonar el villorrio de Cuautempan, los cadetes se separaron de la columna. El terreno se tornó más inclinado y la vegetación aumentó. El camino era pedregoso y, por efectos de la constante lluvia, se tornaba resbaladizo. Del lado derecho se veía, abajo de la cañada, el Río Necaxa y por el lado izquierdo, la empinada ladera apenas cortada por la pequeña vereda por donde transitaban.

Frente a la población de Patla, situada al margen derecho del citado río (siguiendo el cauce de sur a norte), atravesaron a nado los caballos y los soldados. Allí los esperaba el general Rodolfo Herrero que, poco antes, se había pasado al lado de los carrancistas.

El encuentro de Mariel, Urquizo y Carranza con Rodolfo Herrero tenía la finalidad de un buen guía por esa zona. Así, se le comisionó para protegerlos y guiarlos.

La marcha continuó y por la tarde del día 20, llegaron a Tlaxcalaltongo, pequeño poblado de tan sólo unas cuantas chozas con techos de palma y paredes de bajareque o varas, recientemente abandonadas.

En ese lugar, Carranza y la mayoría de la columna de caballería descansaron. A los oficiales y tropas, según su rango, se les distribuyó la posibilidad de alojamiento. El antiguo jefe constitucionalista, junto con su Estado Mayor, fueron acomodados en una de las mejores; quedó instalado Carranza en una de las esquinas del jacal.

Después de cenar, se le ordenó al capitán Suárez y al general Herrero que partieran a establecer la avanzada. El general Mariel tomó el camino de Villa Juárez (la actual Xicotepec de Juárez) con la instrucciones de entrevistarse con el coronel Aarón Valderrábano; el general Lindoro Hernández debía asegurar el avance de la comitiva hasta ese lugar.

Entrada la noche, el general Mariel regresó de su misión y después de informar a Carranza de la seguridad del avance siguiente, ordenó a toda la tropa que se retirara a dormir. El general Herrero pidió permiso a Carranza para ausentarse de su puesto debido a la reciente noticia que había llegado, en el sentido de que el hermano de Herrero se encontraba herido. Carranza concedió el permiso y el susodicho se retiró.

Como a las tres y media de la madrugada del 21 de mayo de 1920, al grito de ¡Viva Obregón! un grupo de hombres armados hicieron un nutrido tiroteo apuntando a la esquina de la choza donde descansaba Carranza.

El desorden y la confusión cundió

en todo el campamento. Después de que nuevamente reinó la calma, pudo constatarse que el señor Carranza agonizaba y el general Herrero había sido el traidor. Abusando de la confianza creada en ese poco tiempo, había planeado su asesinato.

El jefe de Estado mayor, Miguel B. Márquez, bajo el mando de Herrero recogió las pertenencias personales de Carranza; ordenó que todos los prisioneros fueran trasladados a Villa Juárez, donde un improvisado carpintero fabricó el modesto ataúd que serviría para transportar el cuerpo de Carranza.

De Villa Juárez continuó el cortejo fúnebre hacia Necaxa. Al día siguiente, arribaron a la estación ferroviaria de Beristáin, aún en Puebla. En ese lugar estaban esperándolos, el licenciado Aquiles Elorduy y el general Fortunato Zuazua, en representación del general Pablo González y del comodoro Hilario Rodríguez Malpica; los acompañaba el licenciado Roque Estrada en representación del general Álvaro Obregón. Esta comisión investigaría la muerte de Carranza.

Instalados en el ferrocarril que comunica a Beristáin con la capital de la República, tanto los prisioneros como los captores y el féretro de Carranza fueron enviados a la Ciudad de México, a la cual llegaron el 24 de mayo. El sepelio fue realizado al día siguiente en el Panteón de Dolores al poniente de a capital de la República.

EL SR. CARRANZA HA MUERTO

FUE ASESINADO POR EL GENERAL EXFEDERAL RODOLFO HERRERO

EL UNIVERSAL

DIARIO POLITICO DE LA MAÑANA

Año V.-Tomo XV — Número 1,312

El Hecho Ocurrió a la una de la Mañana del Jueves en Tlaxcalantongo

Por qué Estaba Casi Solo el Sr. V. Carranza

La Muerte del Primer Jefe

El Sr. Carranza se Dirigía a Necaxa?

Será Traído el Cadáver a México por el General Francisco de P. Mariel

Los Grales. Barragán, Montes y González, el Coronel Fontes y el Ing. Bonillas Están a Salvo en Necaxa

A las diez y cuarto de la noche, en el Cuartel General del divisionario Alvaro Obregón, se nos entregó el siguiente boletín, que publicamos textual:

"Se han recibido partes oficiales diciendo que el ex-federal Rodolfo Herrero, rendido en el mes de marzo al General Mariel y perteneciente a las fuerzas del propio General, quien acompañaba al señor Carranza y a su comitiva, atacó a éstos a la una de la mañana de ayer, en un punto denominado Tlaxcalaltongo, habiendo resultado muertos el señor Carranza y sus acompañantes, sin que se conozcan aún los nombres de éstos.

"El ex-federal Herrero se había rendido a las fuerzas de Mariel el mes de marzo último."

TELEGRAMAS RECIBIDOS POR EL SR. GENERAL GONZALEZ

De Tulancingo, Hidalgo, a México, D. F., a 21 de mayo de 1920. 6.50 p. m.—C. General de División P. González.

6

El tiempo actual

Cómo nos organizamos

Qué se produce

Cómo se produce

Para quién se produce

Cómo vivimos

El hombre y la naturaleza

Cómo nos comunicamos

Lo bello e interesante de Puebla

Cómo nos organizamos

La conducta pública de los poblanos se rige por la Constitución General de la República y las leyes que de ella emanan, así como las que promulga la Legislatura Local.

La ley más importante del estado de Puebla es su Constitución Política. En ella se establecen los principios fundamentales que estructuran, organicamente, los poderes del estado; señala a todos los poblanos las facultades y las obligaciones de que gozan para lograr una vida mejor.

La ley estatal en su artículo 2º dice: "El estado adopta para su régimen interior la forma de gobierno republicano representativo y popular, teniendo como base de su organización política y administrativa el Municipio Libre." Es republicano, porque los ciudadanos eligen a los gobernantes mediante el voto; representativo, porque como es imposible que la totalidad del pueblo lleve a cabo las funciones del gobierno, es necesario que haya representantes que actúen en su nombre; popular, porque el pueblo participa de muchas maneras en el gobierno. Participar es una obligación ciudadana.

La intervención en la vida política está legalizada, ya que los partidos políticos son considerados de interés público. A este respecto, el artículo de la ley estatal establece: "Los partidos políticos son entidades de interés público. La ley

La Constitución del estado señala los derechos y obligaciones de los poblanos

Participamos democráticamente en las elecciones municipales, estatales y nacionales

determinará la forma específica de su participación en las elecciones estatales y municipales."

El poder público del estado se divide, para su ejercicio, en Legislativo, Ejecutivo y Judicial.

El Poder Legislativo lo compone el Congreso del estado. Éste, a su vez, está integrado cuando menos por 22 diputados electos (l por cada distrito electoral) y 7 diputados que se reparten entre los partidos que obtienen más votos después del ganador.

El Congreso se renueva cada tres años y empieza a funcionar el 15 de enero posterior a las elecciones. Para sesionar tienen que estar presentes más de la mitad del número total de diputados. Los diputados se reúnen tres veces por año. Discuten y aprueban, o en su caso rechazan, las leyes. El primer periodo inicia el 15 de enero y termina el 15 de abril; el segundo, el 15 de junio y concluye el 15 de septiembre; el tercero inicia el 15 de octubre y finaliza el 1º de diciembre. El lapso en que no se reúnen, lo ocupan para acudir a las regiones que representan a fin de conocer la problemática que les aqueja y poder formular las leyes, decretos o acuerdos necesarios para solucionar los problemas que sufren las comunidades o pueblos.

Durante el primer periodo de sesiones, el Congreso se reúne para analizar, discutir y votar las iniciativas de ley que se presenten.

En el segundo, se examina y califica la cuenta de la Hacienda Pública Estatal correspondiente al año inmediatamente anterior. En el tercer periodo se estudian los presupuestos de ingresos de los municipios que deberán entrar en vigor al año siguiente.

Durante los recesos, hay un grupo de cinco diputados propietarios que atienden los problemas propios de la legislatura estatal. A este grupo se le llama Comisión Permanente. Entre sus facultades destaca la de iniciar leyes para mejorar la administración del estado. Una lista completa de ellas la encontrarás en el artículo 57 de la Constitución del estado. Te invitamos a consultarla.

El Poder Ejecutivo se deposita en un solo individuo que se denomina Gobernador Constitucional del Estado de Puebla. Toma posesión de su cargo el primero de febrero del año siguiente a su elección. Dura seis años y no puede ser reelecto.

El gobernador da a conocer las leyes que dicta el Poder Legislativo. El gobernador las ejecuta. Pero además, hace los reglamentos; éstos son normas de menor jerarquía que las leyes y permiten asegurar que los ordenamientos del Poder Legislativo se cumplan. Se encarga, también, de conservar el orden y la tranquilidad en el estado y, para ello, dispone de la policía de los municipios. Nombra a todos sus colaboradores. Emprende actividades para fomentar la educación en todos sus niveles, conforme a las bases establecidas por el artículo 3º de la Constitución General. Hace contratos y convenios a nombre del estado y cuida su cumplimiento. Una lista más detallada de las facultades y obligaciones del Poder Ejecutivo la encontrarás en el artículo 79 de la Constitución estatal.

El Poder Judicial es encomendado a un tribunal superior y los tribunales inferiores. El primero está formado por 21 magistrados. Son

nombrados por el Congreso o propuestos por el Ejecutivo; duran seis años y toman posesión de su cargo el 15 de febrero.

El Ministerio Público es una magistratura, a cuyo cargo está el velar por la exacta observación de las leyes de interés público. Desempeñan la magistratura en el estado, un procurador general y los agentes del Ministerio Público.

Las funciones del Poder Judicial comprenden desde la construcción de locales para el establecimiento de juzgados, hasta la intervención de la fuerza pública que maneja el gobernador, en aquellos casos que sea necesario un juicio en los términos que marca la ley. Además, puede conceder indulto a ciertos delitos que deben juzgar los tribunales; es decir, perdonar las faltas que algún ciudadano poblano haya cometido, dentro de los límites que marca la propia ley.

Para la administración política, el estado se divide en 217 municipios. Cada uno de ellos está gobernado por un ayuntamiento de elección directa y popular integrado por la planilla que haya obtenido el mayor número de votos. Los presidentes municipales tienen derecho a resolver la problemática de su región, libremente y de la manera que juzguen más eficaz; no deben excederse de los presupuestos y pueden expedir reglamentos, órdenes y circulares en materia de policía y buen gobierno, necesarios para el cumplimiento de sus funciones.

Los ayuntamientos son renovados en su totalidad cada 3 años.

Municipio de San Andrés Cholula

Qué se produce

Después de conocer cómo nos organizamos en Puebla, pasaremos a conocer qué sabemos hacer en nuestro estado.

A estos productos hechos por los trabajadores poblanos, se les llama: mercancías o satisfactores. Son elaborados en los lugares adecuados para cada tipo de satisfactor. Pueden ser disfrutados, gracias a la actividad productiva de los trabajadores.

Esto permite mejorar la economía de la entidad. Para conocer todo lo "que se produce" en Puebla, estudiaremos las actividades económicas; dichas actividades se clasifican en tres sectores.

El sector primario incluye la agricultura, la ganadería, la silvicultura, la pesca y la caza. El secundario comprende las actividades de extracción y procesamiento de materiales; éstas pueden ser transformadas en mercancías tanto para el consumo como también para ser utilizadas en la misma producción. Por ejemplo: la industria del vestido, del calzado, textil, etcétera. Y por último, el

La industria textil forma parte del sector secundario

En los últimos años se le ha dado impulso a la agricultura

sector terciario está conformado por las actividades comerciales y los servicios.

La actividad agropecuaria participa en el crecimiento y en el mejoramiento económico. Produce bienes para el consumo e insumos (mercancías) que sirven para hacer otros productos de mayor complejidad. Por ejemplo: Un bien para el consumo sería el trigo. Pero cuando el trigo es transformado en harina, materia prima para hacer pan, el trigo se ha convertido en insumo, es decir, en una mercancía que sirve para ser trabajada en procesos productivos.

La riqueza agropecuaria aumentó durante 1975-1980, un 9.5% cada año, lo que representa un crecimiento importante. Esto se explica, principalmente, por el desarrollo de la agricultura ya que la ganadería se ha venido estancando.

Los principales cultivos de nuestro estado son maíz, caña de azúcar,papa, frijol, chile, alfalfa, café y jitomate.

Por otro lado, los poblanos explotamos especies pecuarias o

ganaderas; destacan las aves, los porcinos, los caprinos, los bovinos y en menor cantidad los ovinos.

En pesca, la entidad creció a un ritmo del 28% anual en el período 1980-1986. Las especies capturadas en 1992 fueron carpa, trucha arcoiris, tilapia, acamaya y pescado blanco, alcanzando un total de 4 974 toneladas.

El desarrollo industrial en nuestro estado tiene sus orígenes en los años sesentas; aunque existe una actividad de manufactura textil que data del siglo pasado.

La apertura de la autopista México- Puebla y el fomento para la construcción de caminos, instalaciones de servicios públicos y la modernización de los servicios de comunicación, permitió que, después de 1965, se establecieran plantas de distintos tipos, como la automotriz, acero, comunicaciones, farmacéuticos y petroquímicos, que lograron consolidar las ya existentes, principalmente los textiles.

Actualmente el sector industrial poblano en su conjunto contribuye en un 3.3% al valor de

El sector industrial aporta recursos a nuestra entidad

la producción industrial bruta total del país.

Las ramas industriales que han alcanzado importancia nacional son: la textil, la de alimentos y bebidas, la automotriz, la química y la metalmecánica.

Finalmente, es importante comprender que la actividad comercial es el enlace entre todas las actividades productivas.

Su propósito fundamental radica en la distribución de los bienes que produce la población.

El sistema de abasto se compone de un proceso que abarca el acopio, el transporte, la distribución y la venta final de satisfactores.

En nuestro estado, la actividad comercial está enfocada hacia los bienes agrícolas, pecuarios y textiles; la siderurgia, la maquinaria y los transportes. En la formación de nuestra riqueza, el sector comercio y servicios (el terciario) en 1988 aportó 51 373 386.2 millones de nuevos pesos a la producción total del estado.

Cómo se produce

Ahora, indagaremos de qué forma se realizan las actividades productivas en nuestro estado; es decir, cómo se organizan los agricultores, ganaderos, industriales, comerciantes, etcétera y de qué utensilios o máquinas se auxilian.

Comenzaremos por identificar el tipo de agricultura predominante en Puebla. Las estadísticas nos dicen que el 86.7% de la superficie utilizada por el cultivo, se caracteriza por ser de temporal, es decir, que depende del estado climatológico de la región.

La actividad agrícola se desarrolla en todo el estado. Una de sus características es la de sembrar al modo tradicional ya que lo hacen utilizando el arado impulsado por animales de tiro.

El principal cultivo es el maíz. Es explotado en todas las zonas agrícolas bajo una diversidad de climas que no le son favorables. La eficiencia es muy baja.

El desarrollo de la agricultura se desenvuelve en el marco de una serie de condiciones y obstáculos como los siguientes.

Cultivo de temporal con técnicas tradicionales

A través de tianguis y mercados se comercializan los productos agrícolas

Los productos agrícolas se venden a precios bajos y sin embargo, los campesinos deben comprar sus satisfactores a precios más altos. Hay pues, un intercambio desfavorable. En los primeros seis años de la década de los setentas, los precios de los productos agrícolas se mantuvieron casi congelados o inalterados; en tanto que el precio del equipo de trabajo y demás bienes necesarios para la agricultura fueron incrementados.

Esto, además de obstaculizar el desarrollo de la agricultura, propició la caída del nivel de vida rural. Otro elemento que contribuye a mantener bajo el desarrollo: es la falta de vías de comunicación entre los centros de producción y los de almacenamiento. Así, se permite la especulación por parte de los intermediarios.

La ganadería en nuestro estado se caracteriza por un desarrollo desigual. Por un lado existe, la que cuenta con modernos sistemas de producción, como es el caso de la avicultura y la porcicultura. Por el otro, una ganadería tradicional, basada en técnicas poco productivas, que no han tomado en cuenta las innovaciones en la alimentación, el aseo, las cruzas y la inseminación artificial para mejorar la raza del ganado.

En lo relativo a pesca existe una infraestructura de producción pesquera, conformada por ocho centros acuícolas de los cuales uno es de la Secretaría de Pesca.

La pesca ribereña consta de 337 embarcaciones, 54% de las cuales son de capital social.

El volumen de pesca en 1991 ascendió a 5 157 toneladas, lo que ubica a Puebla en el 3er lugar en producción entre las entidades sin litoral.

En general, el equipo y los medios de producción usados en las labores pesqueras son modestos.

Sin embargo, éstos se adecuan a las circunstancias, ya que emplean principalmente, lanchas de madera con remos y artes de pesca como redes y anzuelos, entre otros.

En la rama industrial, hemos evolucionado a grandes pasos, sobre todo en lo que se refiere a las industrias química, metalmecánica y automotriz. La estructura industrial de Puebla ha tenido cambios significativos. De estar especializada en la producción de bienes de consumo no duradero, como lo son los productos agrícolas y pecuarios,

Se hacen esfuerzos para impulsar la ganadería

Un eje de la dinámica industrial poblana es el automotriz

ahora está integrada, en mayor proporción, con industrias de bienes de consumo duradero como los automóviles. También ha tenido auge el procesar materias primas.

En los úlitmos años, el eje de la dinámica industrial en Puebla y, por tanto, de nuestro desarrollo económico y social, lo constituyen las industrias que tienen una mayor inversión en maquinaria y equipo. El crecimiento de los establecimientos ligados al consumo final, como restaurantes, fondas, tiendas de autoservicio, etcétera es, en gran medida una respuesta a la ampliación del mercado por los empleos que generaron las industrias petroquímica, metal-mecánica y automotriz.

En lo que respecta al comercio, la actividad al mayoreo tiene una mayor producción por persona ocupada (productividad), en virtud de utilizar métodos y sistemas modernos de comercialización. El minorista o menudista trabaja con las prácticas tradicionales del comercio; con frecuencia, los obliga a salirse de la actividad.

Resulta necesario resaltar que nuestra entidad carece de una central de abasto propiamente dicha. En la actualidad, existe un centro que funciona de manera provisional en la Ciudad de Puebla.

Para quién se produce

Ahora que ya sabemos "qué se produce" y "cómo se produce" en nuestro estado, indagaremos "para quién se produce". Es decir, intentemos saber cuál es el destino de las mercancías, de los satisfactores y de los servicios que los poblanos elaboramos.

En lo que al sector agropecuario respecta, nuestro estado utiliza su producción para abastecer de materias primas tanto a la industria como para el consumo de las personas.

El 42.3% de los insumos que utiliza la industria del estado es de origen agropecuario.

El sector industrial de nuestro, estado destina un alto porcentaje de su producción para satisfacer las necesidades del área metropolitana de la Ciudad de México, y en una escala menor a los estados vecinos de Tlaxcala, Veracruz, Guerrero, Hidalgo, México y Morelos.

La mayor parte de los productos que se distribuyen en los estados ya mencionados la componen: alimentos, textiles, siderurgia, maquinaria y equipo de transporte.

Las industrias con alto nivel tecnológico como son la siderurgia, la petroquímica y la automotriz han sido la base para sostener el ritmo de crecimiento del sector. Esto se debe a los grandes montos de inversiones, necesarios, así como a

Hidroeléctrica "Adolfo Ruiz Cortines", en el municipio de Mazatepec

las cantidades tan grandes de valor que le agregan a las mercancías, los trabajadores que laboran en dichas empresas. Los productos elaborados en estas industrias logran competir a nivel internacional. Una parte de los satisfactores producidos por las industrias mencionadas son exportados y su destino final lo encontramos en otros países del mundo.

El sector comercio, en nuestro estado, se enfrenta a un problema que surge del rápido crecimiento urbano-industrial. Aquí son concentradas las actividades; esto provoca una contradicción con las lejanas y desarticuladas zonas productoras agropecuarias.

La interacción de ambos hechos ha provocado que, por un lado, se cuente con un sector moderno que trabaja con gran eficiencia, con recursos y con técnicas de operación de alto nivel. Los beneficiados son los grupos de ingresos altos y medios. Y por otro, encontramos un comercio atrasado, que funciona en el medio rural y en las zonas marginadas de las ciudades.

Existen en Puebla *comercializadoras* y empresas de fletes y *avío*; sólo contemplan algunos artículos y tienen una cobertura media. Únicamente los comercializan en nuestro propio estado. Pero en el caso de los productos siderúrgicos, farmacéuticos y automotores, principalmente, existe una red tan amplia y diversificada de comercialización que facilita su circulación tanto al interior de nuestra República como también con países a los que se exportan estos productos.

La comercialización cuenta con un sector moderno y eficiente

Cómo vivimos

El crecimiento de la población trae consigo, la necesidad de satisfacer cada vez un mayor número de requerimientos. A medida que aumenta el crecimiento, se demandan más servicios y bienes materiales.

En Puebla, como en todo el país, el incremento de la población ha sido constante a partir de 1940. En esa fecha éramos 1 249 620 personas y en 1990 éramos 4 126 101. Es decir que en 50 años la población del estado ha aumentado 3.3 veces.

La densidad de población también aumentó en 1970 había 74 personas por cada kilómetro cuadrado; en 1990 existían 122.

Sin embargo, no todas las regiones del estado han experimentado un crecimiento igual. Las zonas rurales se han caracterizado por expulsar gente hacia las ciudades en busca de mejores oportunidades. Con ello se propicia una concentración poblacional que dificulta a las autoridades la provisión de servicios urbanos y se acentúa el desequilibrio ecológico de la entidad.

En 1990, ocho municipios que ocupan el 55% del territorio estatal (Atlixco, Izúcar de Matamoros, Puebla, San Pedro Cholula, San Martín Texmelucan, Tehuacán,

El crecimiento poblacional genera nuevas demandas sociales, como el acceso a la educación

Teziutlán y Hauchinango) concentran el 41% de la población.

La emigración del campo a la ciudad ha inclinado el crecimiento poblacional en favor de la urbe.

Así, entre 1970 y 1980 la población rural sólo creció 0.8% mientras que la urbana 4.2%. Esa tendencia de crecimiento continuó al punto de que, en 1990, el 64.3% de la población vivía en localidades urbanas y el resto en localidades rurales. Para tener una idea más completa de este cambio poblacional, debe tomarse en cuenta que en 1940 más del 60% de la población era rural y sólo el 40% urbana.

Puebla recibe con frecuencia a personas que nacieron en Veracruz, el Distrito Federal, Oaxaca y otras entidades; pero también hay poblanos que emigran a estos mismos lugares y al Estado de México. En 1990, más de 349 mil personas decidieron establecerse en nuestro estado; mientras que casi 735 mil personas optaron por trasladarse a distintos sitios de la República. Hubo un saldo migratorio desfavorable para nuestra entidad: salen más de los que entran. Ahora sí podemos entender que entre los asuntos que debe resolver el gobierno del estado están los problemas derivados del crecimiento de la población, como son la vivienda, la salud, la educación y la alimentación a sus habitantes.

Si observas bien el cuadro, te darás cuenta que los porcentajes de casas construidas con material menos resistente a la intemperie son menores; ahora más poblanos habitan en viviendas edificadas con tabique.

Aunque la provisión de servicios básicos a las viviendas ha mejorado, todavía más del 50% de ellas no dispone de drenaje, casi un 30% no tiene agua, un 15.5% carece de energía eléctrica.

Características de la vivienda de los poblanos en 1990

Total de viviendas	772 461	100%
Materiales de construcción predominantes en paredes:		
lámina de cartón	6 170	.8
carrizo, bambú o palma	17 974	2.3
embarro o bajareque	7 937	1.0
madera	96 694	12.5
adobe	119 279	15.4
tabique, ladrillo, block, piedra o cemento	509 773	66.0
Diponibilidad de:		
agua	550 293	71.2
drenaje	373 699	48.4
electricidad	652 476	84.5

Fuente: INEGI. Anuario Estadístico del Estado de Puebla, 1993.

Esto significa que muchos conciudadanos nuestros no viven en condiciones óptimas y que falta mucho por hacer para que cada poblano tenga una vivienda digna.

La magnitud de la tarea educativa que se emprende en el estado es fácilmente perceptible en el siguiente cuadro:

Como podrás observar, todos los niveles muestran una tendencia al aumento. No obstante, nuestro estado es uno de los más analfabetas en el país, ya que para 1990, 19.2% de la población mayor de 15 años no sabía leer ni escribir.

Es posible que durante los últimos años este porcentaje se haya reducido debido a que la población atendida ha aumentado considerablemente.

Población escolar atendida

Niveles	Ciclo 1980 - 1981 [1]	Ciclo 1990 - 1991 [2]
Preescolar	49 376	165 759
Primaria	734 006	783 509
Secundaria	114 818	201 069
Profesional medio	5 992	24 675
Bachillerato	33 567	83 148
Educación superior y Posgrado*	33 681	89 949
TOTAL	971 440	1 339 109

* incluye normal,licenciatura universitaria y tecnológica y posgrado
Fuente: 1 Salinas de Gortari, Carlos. V Informe de Gobierno, 1993, Anexo.
2 SEP. Estadística Básica del Sistema Educativo Nacional. Inicio de Cursos 1990 - 1991.

En nuestro estado ha disminuído el analfabetismo

Los centros de salud atienden a la población

El gobierno estatal y federal se ha preocupado en proporcionar a los poblanos atención médica y evitar, al máximo, que las malas condiciones de vida sean fatales para las familias.

En 1992 de los más de cuatro millones de poblanos, 60.5% fueron usuarios de alguna de las 732 unidades médicas del sector salud que existen en el estado (IMSS-SOLIDARIDAD, SSA, IMSS, ISSSTE, ISSSTEP, INI, HU - BUAP Y Cruz Roja). El 35.5% está asegurada por el IMSS y el ISSSTE, instituciones que prestan servicios de salud a los trabajadores de empleo fijo. La población que recibe atención médica privada es una mínima proporción.

Aproximadamente un 16% de la población no recibió ningún tipo de atención médica del sector público, lo que puede darnos una idea aproximada de la cantidad de poblanos que todavía no tienen acceso a ningún servicio médico de carácter público.

En 1990, la tasa de mortalidad fue de 5.9 por cada 1 000 habitantes, cifra superior a la del país que era de 5.1%. Las principales causas de muerte en los menores de un año son las diarreas y las enfermedades relacionadas con las vías respiratorias.

Los mayores de 45 años mueren por enfermedades crónicas y degenerativas, como el cáncer y los infartos; las muertes ocurridas entre los 15 y 44 años se deben, principalmente, a traumatismos, accidentes y violencia .

Según datos de la Encuesta Nacional de Alimentación en el Medio Rural (1989), Puebla se encuentra ubicada en tres zonas nutricionales (Huasteca y Sierra; Altiplano Este y Mixteca y Cañada). Los alimentos que más se consumen ahí son tortilla, chile y frijol. Sólo el 6% de la población de dichas zonas consume carne; el 35% huevo y el 15% pan de trigo.

Puebla ha progresado. Pero aún existen grandes atrasos que nos muestran una sociedad cuyas necesidades esenciales todavía no están totalmente satisfechas.

El hombre y la naturaleza

El hombre aprovecha la naturaleza para proveerse de recursos que le permitan sobrevivir y desarrollar una vida cada vez mejor. Sin embargo, la forma de incorporar estos recursos a sus necesidades ha provocado un desequilibrio en la relación hombre-naturaleza.

Los sistemas ecológicos de las ciudades poblanas han resultado afectados por el crecimiento económico y la explosión demográfica. Así por ejemplo, la vegetación primaria que se compone de diversos arbustos de baja estatura ha desaparecido casi totalmente; queda sólo el acahual como planta sustituta de aquella flora silvestre. Si consideramos que este ecosistema es el más degradado y el más difícil de reconstituirse, estarás de acuerdo en que habrá de darle solución, basada en una concientización de los poblanos.

El bosque es otro sistema en constante riesgo de desaparecer debido a la explotación irracional, tanto de madera como del subsuelo. La extracción de materiales para la construcción en laderas montañosas incrementan el deterioro ambiental, porque propician la erosión de los cerros.

Igualmente el sacar arena y granito de los afluentes del Alto Balsas y Papaloapan ponen en

La extracción de materiales para construcción propicia la erosión del suelo

La reforestación contribuye a regenerar los ecosistemas

peligro sus corrientes de agua. Si consideramos que este preciado líquido es imprescindible para el funcionamiento del distrito de riego de Valsequillo, cuyos productos como el maíz y el jitomate sirven a la alimentación de muchos conciudadanos nuestros, el problema representa un peligro de grandes repercursiones.

Asimismo, el ecosistema que forman los grandes valles y llanos de la porción central del estado ha sido afectado primordialmente por el crecimiento urbano y la localización industrial. Las tierras que en otros tiempos reportaban los más altos rendimientos de maíz, ahora están deterioradas; el aire se ha contaminado y el agua está escasa.

Sin duda, el ecosistema más artificial que existe es la ciudad, porque los elementos que la reproducen no son extraídos en el mismo lugar ni su desecho es reincorporado a la naturaleza en el mismo espacio. Así por ejemplo, los alimentos que se consumen y los recursos que se utilizan como el agua y la energía eléctrica, son traídos de fuera. A la ciudad llegan una gran cantidad de elementos y de ella, salen desechos y productos inservibles que son dañinos para la vida como: aguas negras, basura doméstica e industrial, humos y gases tóxicos.

La contaminación ambiental en la Ciudad de Puebla proviene, fundamentalmente, de los automotores. Éstos producen 160 toneladas diarias de gases muy dañinos compuestos de plomo, óxidos de carbono y nitrógeno; esto pone en peligro la salud de sus habitantes, pues son frecuentes las congestiones pulmonares y además, provocan afecciones que luego devienen en cáncer.

Gran parte de las industrias de la entidad están concentradas en la capital del estado; también contribuyen a la contaminación.

Emiten diariamente toneladas de gases, polvos y humos; al reaccionar con la humedad de la atmósfera, producen lluvias ácidas que causan daños a la población.

El ruido constituye otro factor de deterioro ambiental. El principal agente que lo genera es el automóvil.

Del total que circulan en la ciudad, aproximadamente el 50% rebasan las normas de decibeles permitidos. Entre los emisores más importantes están los motores de diesel cuyo ruido supera, en un 85%, el límite que puede soportar el oído humano.

El resto de las ciudades del estado presentan un deterioro ambiental que se relaciona con el tamaño de su población y el tipo de industrias asentadas en su territorio.

Huauchinango y Zacatlán presentan congestionamiento y ruido vehicular, incendios y tolvaneras en la época de mayor resequedad que es entre los meses de abril y mayo.

Resaltan los casos de la quema de hidrocarburos a cielo abierto por

La tala inmoderada de nuestros árboles origina la disminución de las lluvias

parte de PEMEX en Huauchinango y una planta productora de gas en Teziutlán.

Tepeaca sufre contaminación del aire por causa de la extracción de materiales para la construcción y del tránsito vehicular. Son muy comunes los basureros a cielo abierto en los días de plaza.

En Izúcar de Matamoros y Tehuacán el problema del ambiente proviene de la quema de caña para los ingenios de Atencingo y Colipan. A Matamoros le afectan los residuos industriales de La Galarza, las caleras y la intensa circulación vehicular.

Tehuacán, como segunda ciudad del estado, a medida que expande su desarrollo industrial y urbano empieza a resentir la contaminación por los desechos de las aves que en una región de clima cálido y seco como ésta, provoca una mayor proliferación de gérmenes transmisores de enfermedades.

En el estado, la gran mayoría de los municipios carecen de un sistema planeado de recolección de basura. Por ello, la contaminación del suelo se debe en un 20% a los desechos sólidos no recolectados y el 80% restante la motiva la basura arrojada en lotes baldíos, barrancas, drenajes o su incineración inadecuada.

Debemos valorar en sus justas dimensiones, los recursos que la naturaleza nos brinda para que su relación con el hombre sea más armónica.

Las industrias han contaminado el aire, el suelo y el agua

Cómo nos comunicamos

La función del transporte y las comunicaciones es básica para mantener en constante dinamismo a la sociedad en general. Constituye la infraestructura para las relaciones de intercambio e integra los recursos productivos y humanos para promover y equilibrar el desarrollo regional y nacional.

La situación geográfica de Puebla nos favorece por estar ubicada en la meseta central del país, lugar que constituye un paso obligado entre la Ciudad de México y el Puerto de Veracruz. Pero además, porque estas dos ciudades son mercados muy atractivos para la venta de los productos poblanos: el Distrito Federal por la magnitud de su población y el Puerto por facilitar la exportación a otros países.

En la actualidad, el estado cuenta con una infraestructura de comunicaciones y transportes que la vincula con todo el país. A nivel estatal, la Ciudad de Puebla es la que mantiene mayor comunicación con el resto de la entidad.

En 1992, la red carretera alcanzaba 7 426.5 kilómetros de longitud, lo que representa el 3% de la red carretera a nivel nacional.

Las carreteras son una importante vía de comunicación

De aquella longitud total, 42.7% corresponde a carreteras pavimentadas y 57.3% a revestidas.

Si dividimos el total de la red de caminos del estado, se obtiene: por cada mil habitantes un promedio de 1.8 kilómetros de carreteras, índice inferior al nacional, cuya relación fue en 1992 de 3 kilómetros.

Los municipios que se encuentran más aislados son los del norte y de la parte central del sur del estado, situación que ha mejorado gracias a la construcción en 1993 de la carretera intermixteca, que comunica a Izúcar de Matamoros con Tehuacán.

La red ferroviaria asciende a 1 024 kilómetros. Esta longitud se ha incrementado poco en los últimos 50 años y en su totalidad es vía sencilla, con fuertes pendientes y curvaturas.

El volumen de carga transportado en esa red en el año de 1985 fue de 152 millones de toneladas, cifra que ha ido disminuyendo.

Con la construcción del aeropuerto de Huejotzingo, ubicado a 20 kilómetros de la ciudad de Puebla y cuya pista de 3 600 metros lo coloca entre los de mayor capacidad en el país, nuestro estado cuenta con un moderno sistema de transportación aérea. En 1992 movilizó 82 775 pasajeros.

Por su parte, el aeropuerto de Tehuacán, construido en 1974, cuenta con una longitud de pista de 1 700 m y presta un

Puebla tiene 1 024 km de vías férreas

La aviación nos comunica con poblaciones de difícil acceso

servicio de mediano alcance para apoyar la producción agroindustrial de la región.

También se dispone de un sistema de 24 aeropistas que sirven para comunicar a las zonas de la sierra. De éstas, sólo las de Axutla y Acotlán están pavimentadas. Las que tienen mayor movimiento aéreo de pasajeros y mercancías son las de Cuetzalan y La Ceiba.

La distribución de la red telefónica muestra una gran concentración de líneas y aparatos en las zonas urbanas de mayor concentración poblacional.

Sin embargo, en 1992, 699 localidades contaban con servicio telefónico local y de larga distancia automática y 972 con servicio de larga distancia.

En ese mismo año el 80% de las cabeceras municipales contaron con un servicio telefónico.

En 1992 había 1 988 124 líneas telefónicas en el estado, es decir 4.6 líneas por cada 100 habitantes.

En lo que respecta a radio y televisión, este medio de difusión se ha ampliado.

Una enorme proporción de la población ve televisión y otra aún mayor escucha radio diariamente.

En 1960 había cuatro radiodifusoras de amplitud modulada (AM); en 1970 aumentó a

11 y en 1986 operaban 27 estaciones radiofónicas: 17 de AM en la banda de 535 a 1 605 kilohertz y 10 radiodifusoras de FM que se operaban en la banda de 88 a 108 megahertz. En 1992 había en total 31 estaciones radiodifusoras, 20 de AM y 11 de FM. En la entidad se ven 6 canales de TV, 4 repetidoras en cadena nacional y 2 locales. La capacidad instalada en materia de correos es de 474 oficinas postales de servicio público: 77 son administraciones, 8 sucursales, 389 agencias y se venden estampillas en 576 pequeños expendios y lugares autorizados.

En materia de telégrafos, se cuenta con 57 administraciones telegráficas y 230 oficinas radiotelefónicas. También existe en el estado una central de telex.

La red de líneas físicas comprende 1 336 kilómetros de línea simple y 2 804 kilómetros de línea sostenida en postería, propias de Teléfonos de México y Ferrocarriles Nacionales.

El volumen anual de servicios que presta telégrafos asciende, en la actualidad, a 742 171; de éstos, 237 755 son telegramas enviados o recibidos y 504 416 corresponden al envío o recepción de giros telegráficos.

Teléfono público

Torre repetidora de televisión

Lo bello e interesante de Puebla

En la parte central del país, podemos encontrar la Ciudad de Puebla de los Angeles, capital del estado del mismo nombre y uno de los más interesantes de la República Mexicana.

Nuestro estado ofrece con orgullo, el encanto de sus múltiples atractivos naturales y la belleza arquitectónica de sus poblaciones. Su diversidad de climas propicia la existencia de múltiples paisajes, balnearios naturales y parques nacionales.

Además, la mano del hombre ha colocado su sello distintivo en casi toda nuestra entidad; la ha enriquecido con valiosas joyas arquitectónicas civiles y religiosas especialmente de la época colonial.

En el marco de atractivos poblanos se encuentra una variada y extensa cantidad de artesanías y el toque característico de sus costumbres.

El potencial turístico de la entidad no ha sido del todo desarrollado, a pesar de contar con múltiples atractivos y estar muy cerca del principal centro consumidor y mercado potencial

Laguna de Aljojuca

Catedral de Puebla

Iglesia de San Francisco en Acatepec

más grande del país: el Distrito Federal.

En 1992, la afluencia turística alcanzó 1 114 775 de visitantes de los cuales, 88.8 de cada 100 fue nacional y el resto de procedencia extranjera.

El principal motivo de visita a nuestras ciudades es el de negocios o de trabajo, resultado de la dinámica económica de los últimos años. La procedencia es, principalmente, del Distrito Federal.

Del total de visitantes el 37.3% lo hizo con fines turísticos, y el resto, por asuntos diversos: como intercambios académicos, visitas familiares, etcétera .

La industria hotelera está constituida por 207 establecimientos; 29 de cada 100 son de categoría turística, es decir, establecimientos de tres, cuatro y cinco estrellas; cuentan con instalaciones modernas y en buenas condiciones. Los restantes, 71 de cada cien son de clase económica.

Actualmente el turismo se ha incrementado debido, en gran medida, a los congresos, los reportajes televisados y la promoción de eventos artísticos y culturales del estado.La planta turística se enriqueció con la apertura del Museo Paleontológico en Pie de Vaca y del Museo Amparo, que han atraído gran cantidad de visitantes. Estos servicios se completan con 20 casetas de información y el apoyo que ofrecen las patrullas de auxilio turístico. Pero estos servicios se concentran, casi en su totalidad, en la Ciudad de Puebla.

Por cualquiera de los cuatro puntos cardinales que se visite nuestro estado, encontramos grandes atractivos.

En la parte norte, en los municipios de Huauchinango, Zacatlán, Chignahuapan y Tetela sobresalen: el Valle de las Piedras Encimadas, los conventos de San Juan, San Pedro y San Esteban, así como hermosísimos bosques de pino.

En el oriente y alrededor del municipio de Zaragoza, se encuentran los siguientes sitios de especial atractivo: las zonas arqueológicas de Tlatlauqui y Yohualichan; las grutas Karmilas de Olentehuitli; los santuarios de El Carmen y la Natividad de la Virgen, con su torre inclinada; la Presa de Mazatepec y el Palacio Municipal de Cuetzalan.

En la parte sur, se encuentra la zona de balnearios de Izúcar de Matamoros y Atlixco, lugares tradicionalmente recreativos para nosotros los poblanos.

En la zona centro-sur destacan los territorios paleontológicos de Pie de Vaca, Playa Tlayva, San Juan de Raya; y en la región de Tehuacán, los balnearios de aguas minerales.

Finalmente, en la parte central de nuestra entidad y en las inmediaciones de la Ciudad de Puebla, existen conventos, parajes y venta de artesanías en Tepeaca,

Valle de las Piedras Encimadas

Balneario Agua Azul

Cuautinchan y Amozoc; en la zona centro-occidente, se halla una variedad de monumentos entre los que destacan la zona arqueológica de Cholula, los conventos coloniales del arte plateresco, las iglesias de estilo barroco indigenista de San Francisco Acatepec y Tonantzintla donde, además, está un observatorio astronómico.

En la ciudad capital, encontramos atractivos entre los que sobresalen: la Catedral, la Capilla del Rosario, la Casa del Alfeñique, la Biblioteca Palafoxiana y el Museo de la No Intervención en los fuertes de Loreto y Guadalupe, entre otros.

Nuestra Puebla es una ciudad que está impulsando el turismo. Por ello se restauran edificios, se pintan fachadas, se iluminan iglesias.

Después, el visitante evocará las iglesias y hermosas casonas del centro, que empezaron a edificarse desde su fundación y que marcaron por siglos su fisonomía: Recordará la amplia y céntrica zona comercial, añeja como la ciudad, en la que siempre han sido importantes la sabrosa comida, el comercio y los servicios. Sus artesanías son herencia de los prestigiados tejedores o hilanderos, curtidores, alfareros, vidrieros y herreros que impusieron su sello a los viejos barrios que rodean el centro y en donde, en otros tiempos, se conjuntaba el taller artesanal con la casa habitación y el comercio de los productos.

Todo esto es sólo una parte de lo "bello e interesante de Puebla".

Iglesia Santa María Tonanzintla

Casa del Alfeñique

7

Nuestra identidad

Cultura, arte y conocimiento
Identidad de un pueblo
Expresiones artísticas de ayer y hoy
Puebla en la literatura
Movimientos y compases
Imaginación y creatividad
Colorido, alegría y diversión
Arte culinario por excelencia

Cultura, arte y conocimiento

Al recorrer Puebla nos damos cuenta de lo grande y bella que es. Estado donde la gente, día con día, trata de enriquecerse con la cultura.

A los amantes del arte, Puebla nos ofrece un sin fin de edificios, templos, capillas y conventos coloniales que, a cada momento, nos hace presente el pasado histórico de nuestro estado.

La heroica Ciudad de Puebla, tiene una historia cívica que nos llena de orgullo a todos los poblanos. Los fuertes de Loreto y Guadalupe son fieles testigos de la valentía del general Ignacio Zaragoza al defender la ciudad en contra del ejército francés, el 5 de mayo de 1862.

El estado de Puebla es muy grande. En su variada geografía el clima y la vegetación crean bellos paisajes, como en los que viven nuestros grupos indígenas. La sierra es una muestra de ello. Entre vegetación abundante y clima cálido, las etnias nos muestran toda su cultura, transformada en fiestas, danzas, música, religión, mitos, costumbres, comida y en artesanías.

La majestuosa Catedral de Puebla

Museo de los fuertes de Loreto y Guadalupe

Por medio de todas estas manifestaciones, los poblanos nos identificamos más entre nosotros mismos . La cultura, el arte y el conocimiento son del diario aprender, ya que continuamente nos estamos enriqueciendo con ellas.

En los museos, tenemos la oportunidad de aprender la riqueza de Puebla. Las piezas arqueológicas, las pinturas y las artesanías son formas en las que nuestra gente representa la creatividad artística, que nos ha hecho característicos. Piezas que enmarcan un origen, una época, una religión y una forma de pensar. Cultura que encontramos plasmada en la historia, en la arquitectura, en las costumbres, en el vestido, en la literatura y en su música.

A través de los grupos étnicos, conocemos todas sus manifestaciones transmitidas en una danza; y en toda una forma del vivir cotidiano que nos liga con el pasado. Siempre tratamos de mantener todas las tradiciones y costumbres, para que el origen de cada uno de nosotros lo tengamos siempre presente. Creamos y recibamos cultura de otros pueblos. Así, la identificación con nuestro propio estado y con México estará más cimentada. Y nosotros creceremos cada día, más y más.

Identidad de un pueblo

Entre vegetación abundante y aguas minerales, donde las lluvias y los días cálidos conviven, habitan nuestros grupos indígenas. En el norte, noroeste y sur de Tehuacán encontramos a los popolocas; mientras que en la sierra norte y sus partes más bajas viven los nahuas, totonacas, huastecosy otomíes.

Las costumbres de todos se mezclan con las culturas colonial y moderna; sin embargo, aún mantienen sus raíces prehispánicas. Ejemplo de ello es la habilidad manual de nuestros indígenas que con el producto de su imaginación, visten de colores, formas, tradiciones, texturas, estilos y significados variadísimos, a sus artesanías y vestidos, donde no se puede negar la raíz indígena.

En muchos pueblos de la sierra, el hombre viste con calzón y blusa de manta blanca, ajustada a la cintura por un ceñidor o faja, con huaraches y sombrero de palma. Cuando hace más frío, usan un cotón de lana o algodón de color oscuro. Las mujeres portan, muy orgullosas, sus vestidos bordados con motivos tradicionales; los muestran durante todo el año, pero principalmente en las fiestas de la región. Así adornan y visten sus cuerpos: con su enagua y blusa de manta blanca, con un

Sierra de Puebla

Mujeres poblanas, visten el tradicional quechquemitl

quechquémitl o rebozo; en sus cabelleras, prenden cintas y estambres de colores. Y como el caso de las huastecas, los adornos son más abundantes en la mujer casada. Para dar un toque de alegría, usan arracadas al oído y collares de papel al cuello.

La cercanía de la Ciudad de Puebla y la construcción de mejores vías de comunicación han influído para que la vestimenta tradicional del pueblo popoloca, se vaya perdiendo poco a poco.

Casi todas las comunidades tienen actividades donde toda la gente participa: los bautizos, las bodas y las fiestas.

La unidad social de la familia la componen los padres y los hijos; lo que da más unión y apoyo al grupo.

Por esta razón, cada quien tiene su papel en la sociedad: la mujer se dedica al hogar, a la elaboración de artesanías; también tiene a su cargo la educación de los niños así como la crianza y el cuidado de: gallinas, cerdos, borregos y chivos. El hombre se encarga de las labores agrícolas; también elabora artesanías y , cuando es pequeño, asiste a la escuela.

La economía familiar de las comunidades indígenas es sostenida en la agricultura. El problema al que se enfrentan todas es por igual: lo reducido de la parcela, la erosión y la falta de fertilizantes para la tierra.

Sus cultivos principales son: maíz, frijol, café, chile, trigo, algodón, tomate y caña de azúcar. En la alimentación indígena, la panela es el sustituto del azúcar; con ella elaboran la bebida que acostumbran: el refino.

La ganadería está poco desarrollada en estas comunidades; predomina la cría de aves de corral y de cerdos. La baja productividad y la escasez de tierras obligan a los indígenas a irse a otros lugares.

Entre otros grupos, la religión tiene un valor muy profundo. Aún son venerados los fenómenos de la naturaleza, como las lluvias, los truenos, los vientos, la luna y el sol. Se les implora para obtener una buena cosecha.

Las enfermedades todavía tienen un carácter mágico-religioso; se recurre más a los curanderos y brujos que a un centro de salud. Creen que los brujos tienen poderes

Nahuas, de la Sierra Norte de Puebla

inexplicables y realizan actos mágicos y secretos. Los curanderos poseen facultades adivinatorias y un gran conocimiento de las propiedades curativas de las plantas.

Entre los huastecos, el concepto de enfermedad está fundamentado en ideas mágico-religiosas; principales causas son la pérdida del alma y el maleficio: éstas son originadas por la enemistad o la envidia.

Una muestra de las creencias mágicas que tiene el grupo de los nahuas, es precisamente la del nahualismo: personas capaces de convertirse en animales feroces; en brujos malignos que se transforman, por la noche, en pájaros que chupan la sangre a la gente; en bolas de fuego que pueden causar enfermedades; en espíritu de los aires, montañas, lluvias, cuevas y ríos, mismos que pueden ser buenos o malos.

El mundo de los grupos indígenas es fascinante, lleno de colorido, historia y fantasía, donde nuestras raíces están presentes día con día, lo que nos identifica más con nuestro pasado.

El telar de cintura, instrumento para la elaboración de sus vestimentas

Expresiones artísticas de ayer y hoy

La civilización es, sin duda alguna, el fruto de la transmisión de la cultura a través de las generaciones. El arte, en todas sus facetas, es un medio de comunicación que posee su propio lenguaje.

¡Qué sería de nuestro progreso, si el hombre no tuviera la capacidad de expresarse!

Nuestro estado de Puebla ha tenido, desde la época prehispánica, manifestaciones artísticas de carácter local, en donde están presentes los materiales con los que cuenta la zona.

Cuando Puebla estuvo bajo la dominación española, fue el centro desde el cual se originaron y crearon los modelos y los cambios estilísticos de los artistas de los siglos XVI y XVII. Tenían como influencia el arte español y el italiano.

En la actualidad, la educación artística es necesaria para todos. Gracias a ella, expresamos nuestro pensar y nuestro sentir. Por fortuna el estado cuenta con expresiones artísticas muy variadas como la pintura y la escultura.

Los bellos paisajes que nos rodean y la herencia arquitectónica que nos dejaron nuestros antepasados, han sido fuente de inspiración para los grandes artistas que Puebla muy

Convento de San Francisco en Huejotzingo

Interior de la Catedral de Puebla

orgullosa nos ha dado. Como Juan de Villalobos; cuyos lienzos religiosos abundan en los templos.

Si queremos admirar la obra escultórica de José Antonio Cora y Villegas, podemos ir a los templos de El Carmen, La Merced, La Purísima, y de San Cristóbal, donde están las respectivas esculturas.

Con fecunda producción y original composición, Miguel Jerónimo Zendejas pintó dulzuras e idealismo en los rostros de sus personajes. Entre ellos, **La Oración del Huerto** que pintara poco antes de su muerte.

Patriota y pintor, llamado el "Goya Mexicano", José Luis Alconedo Rodríguez. Pintó, al pastel, obras de importancia tal, que lo catalogaron como el último de los grandes pintores del México Colonial. Dentro de su obra cumbre está: **El Medallón de Carlos IV y Los Escudos Reales y Pontificios de la Catedral de México.**

José Julián Ordóñez fue un artista neoclásico. Sus trabajos más importantes fueron las decoraciones murales. Pintó las figuras de los evangelistas de la cúpula de la Catedral de Puebla. Hizo en este

Obra de arte sobre papel amate

templo, las perspectivas de gran decoración móvil; tanto que hasta la fecha se siguen usando en la conmemoración del Jueves Santo. En la Iglesia de San Francisco, puede verse buena colección de sus pinturas en tela, con escenas de las Sagradas Escrituras.

Con sentido nítido del colorido, José María Ibarrarán y Ponce pintó un mural en la Basílica de Guadalupe. El tema: la aparición de la Virgen a Juan Diego.

Uno de los casos más extraordinarios de la pintura popular es la que los artistas crean sobre el papel amate. Y uno de sus grandes representantes es Camila Hernández que naciera en San Pablito. Sus creaciones intuitivas representan seres vivientes o imaginarios. En 1964 fueron expuestas sus obras en la sede de la Organización de Estados Americanos; en Washington, en los Estados Unidos de Norteamérica.

Pintor muy activo fue Antonio de Torres. Pintó varios retratos. Hizo 17 óleos sobre la vida de San Francisco y de Santo Tomás, en San Luis Potosí. Dejó también un **Viacrucis, El Purgatorio, San Antonio y el sueño de San José.**

Paisajes y escenas populares, pintados con colores de agua, han inspirado a Carlos Vargas. Expuso por primera vez en la Muestra Colectiva del Salón de la Acuarela, del Instituto del Arte en el Distrito Federal.

Recreando los bellos paisajes con los que cuenta nuestro estado, el pintor y paisajista Jesús Martínez Castillo plasmó, en su obra, todo el colorido de la naturaleza.

Desde niño Juan Cordero tuvo aptitudes para el dibujo, más tarde desarrolló su talento y pintó los retratos del presidente y esposa de aquella época: López de Santa Anna y Dolores Tosta de Santa Anna. Se dedicó al muralismo, pintó primero sobre el arco de medio punto del presbiterio de la Iglesia de Jesús María: **El mural Jesús Entre los Doctores;** después, al temple, la cúpula de doble bóveda de la Iglesia de Santa Teresa con el tema: **De Dios Padre y las Virtudes Cardinales y Teologales**, de efectos sorprendentes por su trazo y colorido; y entre 1858 y 1859 pintó la cúpula de la Iglesia de San Fernando, con la **Inmaculada Concepción** de colorido suave menos violento y más grandiosa que la anterior.

En el templo de Huejotzingo, encontramos una escultura de tipo religioso con siete metros de altura creada magníficamente por Carmen Wenzel.

Muy versátil Charlotte Jazbeck, estudió modelado, talla directa, dibujo y pintura. Su principal preocupación ha sido integrar la escultura al aire libre. Ha realizado en bronce, 18 esculturas que se encuentran en Cuautitlán Izcalli, en el estado de México; el monumento a **La Familia** en Llanos de la Loma; **Adagio** y el **Hombre Roto** en el Museo de Arte Moderno.

Puebla cuenta con el Instituto de Artes Plásticas y la Escuela de Artes y Oficios. Su objetivo es crear y formar grandes artistas, lo que a través de los años se ha logrado.

La mayoría de nuestros artistas han buscado no sólo los horizontes de su estado natal, sino que han logrado una huella permanente en otros. A los poblanos, nos llena de orgullo y satisfacción.

Puebla en la literatura

Del papel y la pluma de un escritor, surgen realidades, fantasías o sueños.

Los paisajes o la vida cotidiana de nuestro estado, han sido fuente de inspiración para todos ellos. A través del lenguaje escrito, se dice lo que verbalmente no diríamos; contamos fantasías que nunca viviríamos. Los sueños que nunca se harán realidad, por un momento, nos envuelven y vivimos a través de los libros. Por esta razón, la imaginación es una de las partes más importantes para su creación.

Puebla ha formado grandes escritores, dramaturgos y poetas que, con sus obras nos han enriquecido culturalmente.

Grandes artistas como José Joaquín Pesado, siendo autodidacta, es uno de los exquisitos

Vista interior de la Biblioteca Palafoxiana

Para crear sus obras, los escritores se inspiraron en el bello paisaje del estado

y puros escritores poblanos. Poeta por naturaleza, escribió **Los Aztecas** y **A mi Amada**.

Romántico e inspirado en el amor, José María Calderón escribió poemas y su novela cumbre: **Los Novios**.

Autor teatral, Francisco Neve escribió una de las obras con mayor impacto que por los años perdurará porque arrastra una dramática y emotiva leyenda: **La Llorona**.

Haciendo del drama y de la muerte un vivir cotidiano, Eduardo Gómez Haro plasmó toda la emotividad y fuerzas en sus obras: **Entre la Vida y la Muerte, La Reducción es la Muerte y el Crimen de la Profesora**. Escribió también zarzuelas como: **Siluetas Poblanas y Los Panzones de Puebla**.
Con una gran dedicación a los niños, Ambrosio Nieto publicó obras escolares y escribió comedias infantiles.

Miguel A. Quintana narró sus experiencias en los campos. Escribió la obra **Esteban de Antuñano** y un **Tratado de Economía**.

Poeta por excelencia es el Dr. Rafael Cabrera. Fundó la revista literaria "Don Quijote" y publicó el tomo **Poesías y Presagios**.

Considerado el más notable costumbrista de México, Vicente T. Mendoza, investigador ansioso, logró importantes encuentros con nuestro folcklore y fundó la Academia Nacional de Folcklore.

Fidel Salvador Ibarra se consagró como poeta, en su libro **Joyce**. Es autor de las dramáticas piezas: **De Flandes Vino la Luz, Intermezo y Avívate Hombre**, que fueron estrenadas, en su tiempo, en el Teatro Principal, aquí mismo en Puebla.

Movimientos y compases

En Puebla, como en todos los estados, las danzas forman parte de nuestra cultura.

Con ellas, los grupos indígenas nos muestran su visión del mundo que les rodea y de un momento histórico determinado. Sirven como enlace entre el pasado y el presente. Son una de las más ricas formas de expresión del arte popular, puesto que reúne teatro y poesía.

Las danzas que baila nuestra gente, muestran el arte y la habilidad coreográfica. Las encontramos en las festividades patronales del pueblo o de algún barrio.

Los danzantes nos muestran sus lujosos atuendos y, en ocasiones, complicadas pinturas en la cara y en el cuerpo.

Música, máscaras, vestuario, colores, instrumentos, cohetes y personas van alegrando las calles y los barrios.

Con sus máscaras, los danzantes nos transportan a un mundo de fantasía. Muestran gestos diferentes: caras angelicales o duras expresiones; tienen barbas y cabellos rubios o caras de feroces animales como el tigre, u ostentando la maldad mediante caras de diablos con cuernos.

Un giro, un vaivén, unos pasos realizados por un enmascarado, le imprimen mayor emoción a la fiesta y nos envuelven en una ola de misterio.

Los personajes que participan son la gente del pueblo: Un campesino, un artesano, un joven o un niño. Son por un momento, un santo, un diablo o un animal.

Los danzantes hacen sus atuendos

Danza del palo volador

A los niños se les enseña, por tradición de sus padres y como parte de su formación personal, los movimientos y los gestos de la danza.

Agradecer cosechas, pedir bienes a la comunidad o hacer promesas religiosas son algunos de los motivos por los cuales la gente baila incesantemente.

Los mayordomos y los comités organizan las danzas bajo muy estrictas reglas, que regulan los derechos y las obligaciones de los participantes y los organizadores para su comunidad.

Una de las danzas que tuvo sus orígenes en la época colonial, y que en la actualidad se sigue representando, es la de los Moros y Cristianos. Ésta, fue bailada desde los primeros años de la Conquista. Tiene muchas variaciones, entre las que se encuentran: la de Santiago o Santiagueros, la de Carlo Magno, Los Doce Pares de Francia; así como las de la serie llamada de Conquista, como la de Los Concheros. También son ejecutadas las famosas Pastorelas y los Autosacramentales.

En casi todas éstas, por lo general, se simula la lucha entre dos bandos opuestos: mexicas y españoles. En la de Los Tocotines, de Atempan, aquí mismo en Puebla, son representados momentos verdaderamente dramáticos, cuando Moctezuma es despojado de sus atributo imperiales.

La danza del Palo Volador se encuentra representada en nuestros códices. Su finalidad era religiosa y estaba relacionada con los cultos solares y con los tonalpohualli, que son los calendarios rituales del mundo náhuatl.

El día de la fiesta desfilan los danzantes hasta el atrio de la iglesia, donde bailan, se dirigen a la base del palo y se acomodan en el bastidor. El capitán empieza el ascenso y cuando está en la punta, inicia con toques musicales un saludo hacia los cuatro puntos cardinales. Notables son sus movimientos acrobáticos que culminan en un zapateado y en que dan 7 vueltas sobre sí mismo. Acabado el saludo, se lanzan los voladores. En su descenso, cabeza al suelo, giran durante 13 vueltas hasta llegar al suelo y se alejan bailando.

En lugares como Olintla, Cuetzalan, Pahuentán y San Andrés se baila esta danza.

En Huauchinango, por ejemplo, Los Acatlaxquis llevan atados unos carrizos que, en cierto momento, los despliegan y los lanzan para formar unos arcos sobre un personaje, llamado marinquilla esto significa que un danzante se tiene que vestir de mujer.

Otra danza que se representa con mucha frecuencia, es la de Los Quetzales y Quetzalines. Los grandes penachos y los movimientos giratorios sobre una cruceta, nos llaman la atención.

Santo Domingo Atoyatempan y Santa Ana Yancuitlalpan presenta El Ayatoro y los Marinquillas. Estas danzas se llevan a cabo en dichas poblaciones, el día

Con música de fondo, al descender cabeza al suelo, giran 13 vueltas

Máscaras con caras angelicales o feroces gestos de animales

2 de noviembre durante la levantada de las ofrendas.

Los Huizos, que en San Juan Ocotepec es realizada el Miércoles de Ceniza. También la representan en el festival del Atlixcáyotl, palabra que significa tradición de Atlixco. Varios de sus personajes portan máscaras de cuero y uno de ellos baila con un gallo.

Unas cuantas danzas siguen siendo representaciones que nos ilustran la vida cotidiana de las comunidades indígenas, como: Los Panaderos, Los Segadores, Los Toreros y Los Arrieros. Todos llegan al lugar de la función sobre cabalgaduras; cada uno transporta algo que servirá para la gran comida de la tarde: leña, carbón, metates, ollas e ingredientes para los platillos. Uno tras otro descargan los animales y bailando, llevan las cosas hasta donde se ha improvisado la cocina.

Casi todos los elementos decorativos de la vestimenta de los danzantes se conservan. Las pieles de animales, los vistosos pañuelos, las sonajas, los capullos de mariposa y los grandes tocados.

La música que acompaña a las danzas muestra, en sus instrumentos y sonidos, la creatividad artística y artesanal de nuestros indígenas. Así lo demuestra el teponaxtle, las flautas hechas con piel, con carrizo o con el barro; los caracoles marinos de distintos tamaños, los tambores y los tamborcillos hechos con pieles de animales.

Imaginación y creatividad

Desde hace siglos, los poblanos hemos desarrollado una artesanía muy propia. Representa un arte difícil de explicar. Las manos con que son creadas son casi mágicas. Muchas veces, al hacerlas, se confunde el propósito de crear alegría, como una rueda de juegos pirotécnicos o producir un objeto práctico para las necesidades diarias, como los utensilios de barro.

Los artesanos utilizan diversos materiales tan durables como el fierro; tan delicados y frágiles como la paja; tan notables como las piedras ágatas y las maderas del cedro; o sumamente sencillas como las cáscaras de nuez o el lodo.

Por casi todo el estado, son fabricados objetos de barro. Así lo demuestran los cántaros, las vasijas, las ollas, los comales, las figuras

El trabajo de las manos artesanas

para el Día de Muertos, así como las delicadas y hermosas piezas de mayólica o talavera. Podemos encontrar frágiles y decorativos objetos como jarras y vasos, realizados con el arte del vidrio soplado.

En el centro y sur del estado, se transforman las fibras vegetales, como la palma, el ixtle y el carrizo, en sombreros, petates, flores pintadas, collares y canastos; mientras que el hierro se moldea en espuelas, cuchillos, machetes y herrajes.

En San Pablito se diseñan, con papel amate, diversas figuras rituales. Huaquechula y San Salvador trabajan el papel china picado y fabrican caballitos de cartón. En Cuetzalan y Zozocolco, transforman la vainilla en figuras de aromatizante belleza.

Hacia el norte y centro de Puebla, hábiles manos tejen y embellecen blusas, huipiles, enredos, fajillas,

Artesanías, frutas de ónix

Cerámica de Acatlán

Vasijas de barro

Cestos de mimbre

rebozos, morrales, sarapes, cobijas y materiales de lana y algodón.

De la madera de los árboles de linteam, al sur, se hacen jícaras y trastes. Con maderas más durables y finas, son fabricados muebles labrados con incrustaciones de marfil o de nácar. En Tecalli de Herrera, el ónix es trabajado para elaborar ceniceros, collares, figuras de animales, tableros y piezas de ajedrez.

Las artesanías no sólo son creadas para fines de uso comercial, sino también para uso efectivo: las máscaras de madera y los tocados de pluma, para las danzas; y los castillos de pólvora, para el regocijo.

Miles de familias en nuestro estado se dedican a las artesanías rurales y urbanas. Por lo general, el taller forma parte de la casa; el resultado de los ingresos depende de la cooperación de todos sus miembros.

Las ganancias ayudan para la subsistencia diaria, ya que los artesanos poblanos son, en su mayoría, campesinos o peones rurales.

La comercialización de las artesanías modifica los antiguos sistemas de trueque de autoconsumo. Antes, había una distribución local e interna de los productos; mediante el canje, se conseguían productos agrícolas o de otro tipo que daban servicios útiles a la comunidad.

En nuestra entidad se dan, básicamente, dos tipos de comercio: Uno con intermediarios que, en muchas ocasiones, limitan la capacidad creativa de los artesanos, pues éstos se esfuerzan en producir una mayor cantidad para poder sobrevivir con los precios que les pagan los acaparadores; y la otra, con los consumidores directos; algunas veces también son vendidos a precios más bajos del valor real del trabajo artesanal.

Por estas razones, es importante que apreciemos más nuestras artesanías. Representan y son parte de la historia y de cada uno de nosotros.

Ollas de barro de boca ancha

Máscaras de tigres hechas en madera

Colorido, alegría y diversión

Nosotros los poblanos somos un pueblo muy alegre. A lo largo de todo el año y por todo el estado, festejamos con gusto y vistosidad nuestras fiestas.

La mezcla de una serie de épocas y culturas como la prehispánica y la colonial, nos dan una combinación de música y colores que enmarcan al bello estado de Puebla.

Como en todos los lugares del mundo, las fiestas manifiestan nuestras costumbres, así como el sentir y el origen de cada uno de nosotros. Y todas estas manifestaciones están plasmadas tanto en las fiestas cívicas como en las de tipo religioso. Algunas son: Las del Santo Patrono del lugar, Semana Mayor, Todos Santos y Fieles Difuntos, El Carnaval y la Navidad.

Tal vez la fiesta más esplendorosa y la que celebramos con más orgullo y júbilo sea, la Batalla de Puebla.

En la Ciudad de Puebla de Zaragoza, nos reunimos mucha gente. Vistiéndonos de soldados, tratamos de revivir aquella heroica Batalla del 5 de Mayo de 1862, cuando el General Ignacio Zaragoza defendiera la ciudad con valentía y heroísmo, allá por los Fuertes de Loreto y Guadalupe, en contra de las tropas francesas.

Por este motivo, la ciudad se adorna: hay baile, música y exquisitos y variados platillos, demostrando así, por qué se nos considera el estado del mayor arte culinario en el país. También son

Muralla de piedra de los fuertes de Loreto y Guadalupe

lanzados los famosos cohetes y se prenden los vistosos castillos de pólvora de Xochitlán y Xicalapa.

Como en la Sierra de Puebla viven y conviven grupos indígenas, sus festividades son numerosas en virtud de la gran cantidad de santos titulares con que cuenta cada pueblo y barrio.

Por esta razón, desaparecen las diferencias sociales que existen entre estos grupos. En estas celebraciones, todos convivimos y bailamos muy gustosamente. La música y las danzas nos acompañan en la fiesta.

Las festividades más conocidas están estrechamente ligadas con el calendario tradicional, agrícola o religioso.

Así, por ejemplo, la apertura de la estación de lluvias coincide con el 24 de junio; el 3 de mayo, con la santificación de la tierra y de las semillas para la próxima siembra. Cuando la cosecha se levanta y es satisfactoria, las comunidades disponen de dinero para celebrar y pagar una gran fiesta donde habrá flores, música, comida, bebida y cohetes.

Para la organización de las fiestas del santo patrono, existe el mayordomo, quien es elegido entre los miembros de un determinado barrio; después, pasa el cargo a alguien de un barrio del pueblo.

Las familias poblanas dan un sentido importante a las festividades relacionadas con el ciclo de la vida: El bautizo, el matrimonio y la defunción. Las dos primeras sellan relaciones que tendrán un origen de compadrazgo.

En el caso de las fiestas de Todos Santos y Fieles Difuntos, la muerte tiene un significado muy profundo y religioso. En nuestras casas y en los

Aquí se celebró la Batalla del 5 de mayo de 1862

panteones, es tradición colocar ofrendas a los seres queridos que ya partieron.

La imaginación y creatividad de nuestra gente hace que en todas las fiestas y ferias luzcan la música, las artesanías y la comida.

Algunas fiestas han ido ampliando sus horizontes y no sólo es común a la gente del pueblo, ya que se han ido convirtiendo en Ferias que alcanzan un lugar a nivel nacional y hasta internacional.

Las Ferias son muy importantes para los artesanos, ya que en la mayoría, son expuestos a la venta los objetos hechos por sus manos creativas. Además, es una forma de aumentar sus ingresos. También se ofrecen al público los ricos platillos de la cocina poblana, así como las prendas de vestir que fabrican nuestros indígenas.

Ferias como la de Ciudad Serdán, que por ser una población agrícola, quiere dar a conocer e impulsar el cultivo de algunos vegetales, como la papa.

En Puebla tenemos una gran variedad de ferias como la de Zacatlán y Huejotzingo, que ofrecen a los visitantes, la jugosa manzana y la exquisita sidra productos de la propia región. Dichas ferias se realizan con el objetivo de incrementar el consumo de fruta. También dan a conocer artículos que se fabrican en la ciudad, como relojes para edificios, telas, calzado y maquinaria beneficiadora de café. Tenemos también la llamada "Feria Internacional de Puebla", donde hay una muestra agrícola, ganadera y de turismo. Tiene una duración de ocho días. Las instalaciones son los Fuertes de Loreto y Guadalupe, para conmemorar otro aniversario más de la Batalla de Puebla.

Fiestas poblanas

Ferias de Puebla

CIUDAD

HUAUCHINANGO
Feria de las Flores
Del 1o. al 9 de marzo
Se acondicionan en las principales calles de la Plaza de la Constitución.

PUEBLA
Feria Internacional de Puebla
Del 24 de abril al 18 de mayo.
Unidad Cívica y 5 de Mayo, ubicada en los Fuertes de Loreto y Guadalupe.

TEZIUTLAN DE MEJIO
Feria Regional
Del 30 de julio al 7 de agosto.
Se verifica en el Estadio Municipal donde se instalan módulos.

ZACATLÁN
Gran Feria de la Manzana
Del 14 al 21 de agosto
Se distribuyen puestos

HUEJOTZINGO DE NIEVA
Feria Nacional de la Sidra y Exposición Regional Agrícola, Ganadera y Turismo.
Del 21 al 29 de septiembre
Zona sur de la Plaza principal.

CIUDAD SERDÁN
Feria Regional de la Papa
Del 30 de agosto al 7 de septiembre
Plaza principal y calles cercanas al centro

Feria Regional de Ciudad Serdán
Del 25 de agosto al 3 de septiembre

XICOTEPEC DE JUÁREZ
Feria de Primavera y exposición regional ganadera y del café
Del 8 al 13 de abril

CHIGNAHUAPAN
Feria regional, comercial, agrícola, ganadera, industrial, artesanal y cultural.

TEPEACA
Feria regional
Del 2 al 9 de octubre.

Feria regional en Tepeaca

Fiestas de Puebla

MES	MOTIVO	LUGAR
Enero 6	Día de los Santos Reyes	En todo el estado
Enero 20	San Sebastián	Zinacatepec
Enero 30	Virgen Ocotlán, fiesta titular	Xayacatlán
Febrero 2	Fiesta de La Candelaria	Cholula, San Francisco, Coapa
Febrero 24	Día de la Bandera	En todo el estado
Marzo 18	Día de la Expropiación petrolera	Todo el estado
Marzo 19	Fiesta de San José	Olintla
Marzo 21	Natalicio de Benito Juárez	Todo el estado
Abril 25	Fiesta cívica, nombramiento de esta ciudad que antes fuera Villa San Eleuterio.	Zacapoaxtla
Abril 18	San Eleuterio	Atoyatempam
Mayo 1o.	Día del Trabajo	Todo el estado
Mayo 1o. al 6	Conmemoración de la Batalla del 5 de Mayo, simulacro de la Batalla en los fuertes de Loreto y Guadalupe.	Todo el estado
Mayo 3	Santa Cruz	Todo el estado
Mayo 4	Ascención del Señor	Todo el estado
Mayo 15	Fiesta de San Isidro Labrador	Zacatlán
Mayo 22	Fiesta en honor a Santa Rita	Tlahuapan
Junio 29	San Pedro	Zacapoaxtla, Ixcaquixtla
Julio 25	Señor Santiago	Cuetzalan, Cholula Matamoros

Agosto 6	El Salvador	Acatepec
Agosto 15	Asunción de la Virgen	Tepetzintla, Amazoc, Aquixtla, Teziutlán, Tetela de Ocampo, Santa María Acuexcomax
Agosto 28	San Agustín	Palmar de Bravo
Agosto 30	Santa Rosa	Chalchicomula, Puebla
Septiembre del 2 al 11	Fiesta de la Virgen de los Remedios	Cholula
Septiembre del 15 al 16	Fiestas Patrias, Grito de Independencia	Todo el estado
Octubre 1o. al 8	Fiesta de San Francisco de Asís	Cuetzalan
Octubre 4	Se realiza con movito de las cosechas y dura una semana	Amixtlán
Octubre 4	San Francisco, fiesta tradicional	Oyotoxco, Cuetzalan Tepeaca
Octubre 7	Virgen del Rosario	Teteles
Octubre 12	Día de la Raza, Descubrimiento de América	Todo el estado
Noviembre 1 y 2	Todos Santos y Fieles Difuntos	Chilac, Acatlán todo el estado
Noviembre 19 al 21	Fiesta tradicional	Tlalnepantla
Noviembre 20	Conmemoración de la Revolución Mexicana	Todo el estado
Diciembre 4	Santa Bárbara	Almoloya
Diciembre 7 al 13	De la Purísima y Guadalupana	Chiautla
Diciembre 8	Purísima Concepción	Zacatipán, Tehuacán, Chignahuapan, Camocuatla, Huehuetla
Diciembre 16 al 24	Posadas, pastorelas	Todo el estado

Arte culinario por excelencia

Una de las muchas razones por las cuales los poblanos somos famosos, es por nuestra exquisita y variada comida.

Las cocinas de nuestras casas se visten de olores, colores y sabores.

Sus ollas de barro, sus metates y las cucharas de madera, dan un toque diferente a todas las del país.

Las raíces gastronómicas de la cocina poblana las encontramos en la combinación de la comida indígena con la hispánica; así nos dan una comida puramente mestiza.

La cocina indígena fue muy rica en moles y pipianes, ya que para guisarlos tenían al alcance al guajolote o pavo de papada, numerosas variedades de chiles y semillas, así como de jitomates y tomates.

Cocina poblana de Santa Rosa

El tradicional mole poblano

Muestra de ello fue, sin duda, el famoso, mole poblano nacido en el convento de Santa Rosa, allá por el siglo XVII. Los conventos fueron importantes en la creación y evolución de la cocina poblana.

El mole es una especie de símbolo nacional. Como la china poblana, ha representado a México y le ha dado un lugar y un reconocimiento muy especial en la cocina internacional.

La tradicional historia del mole no podía faltar en esta lección de arte culinario: Estaban las monjitas en el convento de Santa Rosa; una de ellas hacía una salsa compuesta por el chile pasilla, por el sápido mulato y por el oscuro chile ancho. En esta mezcla antigua, utilizaron el aceite de oliva y la suave y blanca manteca de cerdo. Cuando esto hervía en la enorme cazuela, a una monja se le ocurrió añadirle almendras; a otra, sazonarla con chocolate, y alguien le sumó cominos y clavos. Más tarde, fue agregado el tierno y cocido guajolote. A la carne bañada con el mole, se le espolvereó con el amarillo y tostadito ajonjolí.

Ya después, vino el aderezo con las ruedas blancas de la cebolla, las hojas de la verde lechuga y el rojo picante de los rábanos cortados en forma de flor. Y acompañando a este riquísimo platillo, vendrán los frijoles y el arroz con unas tortillas calientitas recién salidas del comal.

No podemos olvidar el plato tradicional septembrino. Lleva en su preparación, los colores patrios: El verde del chile poblano, el blanco de la crema y el rojo de la granada. Son los ricos chiles en nogada.

Podemos dar una lista larga de platillos que además de adornar nuestras mesas, son nutritivos y muy sabrosos. Por ejemplo: la tinga y las picositas rajas poblanas; los hongos totolcoxctl en el jugoso escabeche; el clemole de Atlixco o la carne de cerdo en salsa verde estilo Huauchinango; o la muy completa y suculenta olla totonaca; los gusanos de maguey; o unas costillitas bañadas con el muy mexicano pulque y muchos más.

Pero siempre después de algo saladito, se nos antoja un rico dulce preparado y hecho con las recetas tradicionales de la abuela.

Qué les parecería empezar con unas ricas tortitas Santa Clara,

Exquisitas frutas cristalizadas

Dulces de leche

hechas a base de pepita de calabaza, harina, manteca y azúcar; o con los crugientes muéganos de vino. O para la temporada de vigilia, unas suavecitas empanadas de arroz de leche.

Hay para todos los gustos: Los jamoncillos de mamey, el turrón de bizcocho, los alfeñiques; los envinados y azucarados borrachitos, así como las cajetas. Las hojaldras dulcecitas que se acostumbran comer el Día de Muertos. Todos endulzan la vida, hasta el más exigente paladar.

Y quién no ha probado los camotes de Santa Clara, decorados con azúcar en forma de flores o líneas y envueltos en papel. A continuación, les damos la receta de este dulce tan nuestro y que en los recetarios familiares no puede faltar.

Camotes de Santa Clara

Frutas en conserva

Receta de Camote

Se ponen a hervir los camotes. Ya que están bien cocidos, se les extrae toda la pulpa. Esta pulpa se diluye con agua o con leche, como se desee, para hacer una pasta aguada, no dura sino ligera. Se pone a hervir nuevamente, con azúcar glass. Si se le quiere dar un sabor o color especial, se le agrega al gusto.

Sin dejar de mover, se deja hervir hasta que espese. Para que realmente tenga un sabor especial, se tiene que cocinar en un cazo de cobre y moverlo con pala de madera. Ya que espesó bastante, se deja enfriar. Ya frío, se hacen en forma de barritas y nos ayudaremos con un poco de azúcar glass. Se termina decorando al gusto y serán envueltos en papel encerado.

Créditos de las fotografías de la segunda edición:

pág. 5: Ramón Ibarra, en *México desconocido*, núm. 176,
México, 1991, Ed. Jilguero, pág. 39

pág. 25: Angela Arziniaga y Everardo Rivera, en *México desconocido*, núm. 175,
México, 1991, Ed. Jilguero, pág. 13

pág. 76: Antonio Mercado, en *Rutas de Conventos. Guía México desconocido*, núm. 8,
México, 1993, Ed. Jilguero, pág. 71

pág. 116: José Ma. Velasco, "El Valle de México desde las Lomas de Dolores" (1900),
MUNAL, tomada de Moyssén, Xavier et al. *José María Velasco.*
Homenaje, México, 1989, Ed. Instituto de Investigaciones Estéticas, UNAM, Lámina X

pág. 162: Museo de la Fotografía-INAH, tomada de Florescano, Enrique (coord.).
Así fue la Revolución Mexicana, T. 1, México, 1985, Ed. Consejo Nacional de
Fomento Educativo-SEP, pág. 62

Esta segunda edición actualizada incorpora los datos más recientes elaborados o procesados por el Instituto Nacional de Geografía e Informática (INEGI), por las Secretaría de Estado del Gobierno Federal, por el Instituto Nacional Indigenista, por el Instituto Nacional de la Nutrición y por PEMEX. Cuando fue necesario, se utilizaron los informes anuales de los gobernadores, sus anexos estadísticos y los prontuarios, agendas o anuarios que elabora el gobierno estatal.

Con el objetivo de mejorar esta monografía en las ediciones subsecuentes, agradeceremos a los lectores el envío de sus comentarios y sugerencias a:

Dirección General de Materiales y Métodos Educativos,
Subsecretaría de Educación Básica y Normal,
Secretaría de Educación Pública
Proyecto Monografías Estatales
Argentina No. 28, Col. Centro, C.P. 06020
México, D.F.

Notas

Notas

Puebla
Monografía estatal

Se imprimió por encargo de la
Comisión Nacional de los Libros de Texto Gratuitos,
en los talleres de Metropolitana de Ediciones, S. A. de C. V.,
con domicilio en Av. 16 de Septiembre núm. 145,
Fraccionamiento Industrial Alce Blanco, C.P. 53370, Naucalpan de Juárez,
Edo. de México, el mes de diciembre de 1996.
El tiraje fue de 141,000 ejemplares
más sobrantes de reposición.